Acolhendo sua criança interior

CONHEÇA OUTROS LIVROS DA AUTORA

Acolhendo sua criança interior –
Caderno de atividades
Exercícios e reflexões para compreender seus
sentimentos e se fortalecer

Como fortalecer sua autoestima
Aprenda a lidar com a insegurança,
o medo e a vergonha e a se amar plenamente

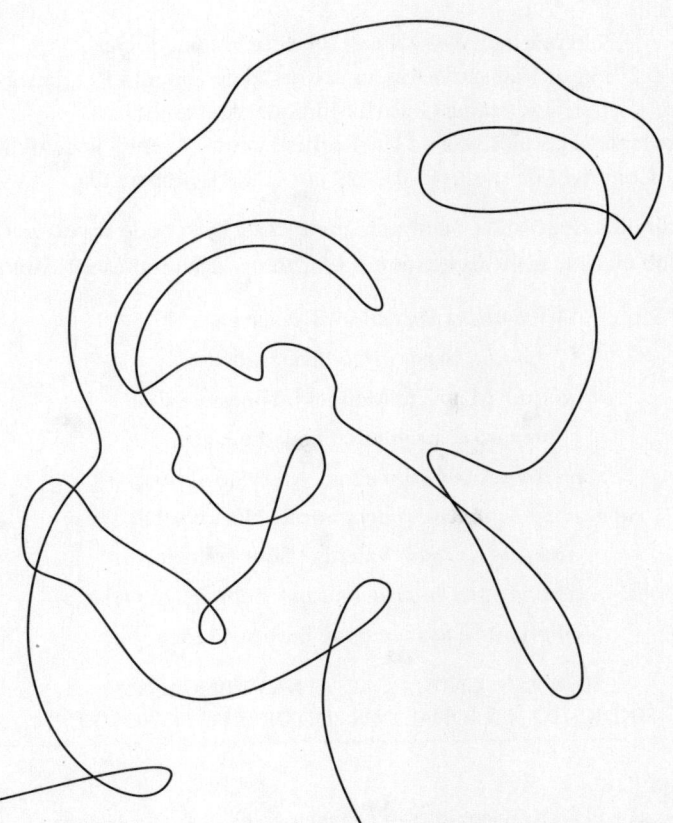

STEFANIE STAHL

Acolhendo sua criança interior

Uma abordagem inovadora
para curar as feridas da infância

Título original: *Das Kind in dir muss Heimat finden*
Copyright © 2015 por Kailash Verlag, uma divisão da Penguin Random House
Verlagsgruppe GmbH, Munique, Alemanha.
Publicado mediante negociação com a Ute Körner Literary Agent – www.uklitag.com
Copyright da tradução © 2022 por GMT Editores Ltda.

Todos os direitos reservados. Nenhuma parte deste livro pode ser utilizada ou reproduzida sob quaisquer meios existentes sem autorização por escrito dos editores.

coordenação editorial: Alice Dias
produção editorial: Livia Cabrini
tradução: Mauricio Mendes e Vanessa Rabel
preparo de originais: Sheila Louzada
revisão: Ana Grillo e Luis Américo Costa
capa, projeto gráfico e diagramação: Natali Nabekura
imagem de capa: Valenty | Shutterstock
ilustrações da parte interna da capa: bob-design, Trier
impressão e acabamento: Bartira Gráfica

CIP-BRASIL. CATALOGAÇÃO NA PUBLICAÇÃO
SINDICATO NACIONAL DOS EDITORES DE LIVROS, RJ

S779a

Stahl, Stefanie
 Acolhendo sua criança interior / Stefanie Stahl ; tradução Mauricio Mendes, Vanessa Rabel. - 1. ed. - Rio de Janeiro : Sextante, 2022.
 240 p. ; 23 cm.

 Tradução de: Das kind in dir muss heimat finden
 ISBN 978-65-5564-355-8

 1. Criança interior (Psicologia). 2. Maioridade - Aspectos psicológicos. 3. Relações interpessoais - Aspectos psicológicos. 4. Conflito interpessoal. I. Mendes, Mauricio. II. Rabel, Vanessa. III. Título.

22-76585
CDD: 158.1
CDU: 159.923

Meri Gleice Rodrigues de Souza - Bibliotecária - CRB-7/6439

Todos os direitos reservados, no Brasil, por
GMT Editores Ltda.
Rua Voluntários da Pátria, 45 – 14.º andar – Botafogo
22270-000 – Rio de Janeiro – RJ
Tel.: (21) 2538-4100
E-mail: atendimento@sextante.com.br
www.sextante.com.br

Para meus amigos e amigas

SUMÁRIO

1. A CRIANÇA EM VOCÊ PRECISA DE UM LAR   13
2. OS MODELOS DA PERSONALIDADE HUMANA   17
3. A CRIANÇA-SOL E A CRIANÇA-SOMBRA   20
4. COMO NOSSA CRIANÇA INTERIOR SE DESENVOLVE   23
   UMA OBSERVAÇÃO SOBRE A AUTOCONSCIÊNCIA   26
5. AS NECESSIDADES QUE OS PAIS DEVEM ATENDER   28
6. AS QUATRO NECESSIDADES EMOCIONAIS BÁSICAS   31
   Necessidade de conexão   31
   Necessidade de autonomia e controle   32
   Uma observação: o conflito entre dependência e autonomia   33
   Necessidade de prazer   35
   Necessidade de autoestima e reconhecimento   36
7. COMO A INFÂNCIA MOLDA O COMPORTAMENTO   38
   "Mamãe me entende!": a empatia parental   39
   Da genética à personalidade: outros fatores que moldam a criança interior   40

A criança-sombra e seu sistema de crenças 42

A criança-sombra mimada 44

Criticar os pais? Não é tão fácil assim! 45

    UMA OBSERVAÇÃO: A CAUSA DO MAU HUMOR PODE SER GENÉTICA 48

8. COMO NOSSAS CRENÇAS INFLUENCIAM NOSSA PERCEPÇÃO 50

9. NÓS NOS AGARRAMOS ÀS EXPERIÊNCIAS DA INFÂNCIA 52

10. A CRIANÇA-SOMBRA E SUAS CRENÇAS: SENTIMENTOS RUINS NUM PISCAR DE OLHOS 54

11. A CRIANÇA-SOMBRA, O ADULTO E A AUTOESTIMA 56

12. DESCUBRA SUA CRIANÇA-SOMBRA 58

Descubra suas crenças fundamentais 64

Como desembarcar de sentimentos negativos 65

Uma observação: pessoas que reprimem e pessoas que não sentem 67

O que posso fazer se não consigo sentir? 70

Projeção é realidade 71

13. AS ESTRATÉGIAS DE AUTOPROTEÇÃO DA CRIANÇA-SOMBRA 74

Estratégia de autoproteção: repressão 77

Estratégia de autoproteção: projeção e vitimização 78

Estratégia de autoproteção: perfeccionismo, obsessão pela beleza e ânsia de reconhecimento 81

Estratégia de autoproteção: obsessão por harmonia e hiperadequação 83

Estratégia de autoproteção: a síndrome do bonzinho 85

Estratégia de autoproteção: exercer poder 87

Estratégia de autoproteção: obsessão por controle 90

    Estratégia de autoproteção: agressão-ataque   92
Estratégia de autoproteção: a eterna criança   93
Estratégia de autoproteção: fuga, evasão e evitação   97
Uma observação: o medo da proximidade e da sobrecarga emocional   100
Caso especial: o refúgio no vício   102
Estratégia de autoproteção: narcisismo   105
Estratégia de autoproteção: disfarce, encenação e mentiras   108
A criança-sombra está sempre com você   112
É você quem constrói sua realidade!   113

14. CURE SUA CRIANÇA-SOMBRA   115

15. DESCUBRA A CRIANÇA-SOL EM VOCÊ   131
Você é responsável por sua felicidade   132
Como os valores podem nos ajudar   139
Tudo se resume ao estado de espírito   143
Use a imaginação e a memória corporal!   145
A criança-sol no dia a dia   148

16. DAS ESTRATÉGIAS DE AUTOPROTEÇÃO ÀS ESTRATÉGIAS DE REFLEXÃO   150
A felicidade e a infelicidade dependem dos relacionamentos   151
Diferencie fato de interpretação   156
Encontre o equilíbrio entre reflexão e distração   159
Seja honesto consigo mesmo!   161
Treine a boa vontade!   164
Elogie o próximo como você elogiaria a si mesmo   167
O bom já basta   169

Aproveite a vida 171
Seja autêntico, não uma criança comportada 173
Aprenda a lidar com conflitos e transforme seus relacionamentos 176
Saiba a hora de recuar 181
Treine a empatia 184
Esteja disposto a ouvir 187
Estabeleça limites saudáveis 190
Observação: A criança-sombra e o burnout 192
Aprenda a dizer não 196
Confie em si mesmo e na vida 198
Regule suas emoções 201
Observação: A criança-sombra impulsiva 204
A meditação da vaca 206
Você pode decepcionar 208
Observação: Estratégias de reflexão contra o vício 210
Supere a inércia 215
Desarme sua resistência 220
Dedique-se a um hobby ou uma atividade 222
Permita-se ser você mesmo 227

REFERÊNCIAS BIBLIOGRÁFICAS 233

*A maior parte das sombras desta vida é causada
pelo fato de bloquearmos nosso próprio sol.*
— Ralph Waldo Emerson

CAPÍTULO 1

A CRIANÇA EM VOCÊ PRECISA DE UM LAR

Todo mundo precisa de um lugar onde se sinta protegido, seguro e querido. Todo mundo anseia por um lugar onde possa relaxar e ser quem realmente é. Idealmente, a casa em que crescemos foi um lugar assim. Se fomos aceitos e amados durante a infância e a juventude, então tivemos um verdadeiro lar. Nossa casa era um local acolhedor, o porto seguro com que todos sonham. Então interiorizamos esse sentimento de ser aceito e querido, que se converte em uma postura positiva diante da existência e nos acompanha ao longo da idade adulta. Sentimo-nos seguros no mundo e na vida que levamos e confiamos em nós mesmos e nos outros. Essa é a chamada confiança básica. É como um lar dentro de nós, nos fornecendo apoio e proteção.

No entanto, não são poucas as pessoas que trazem da infância lembranças bem ruins ou mesmo traumáticas. Há também aquelas que tiveram uma infância infeliz mas quase não se lembram dessas experiências, pois as reprimiram. E há quem acredite que teve uma infância "normal" ou até mesmo "feliz" mas, sob um olhar mais atento, isso se revela uma autoenganação.

Mesmo que as experiências de insegurança e rejeição da infância tenham sido reprimidas ou que o adulto as diminua para si mesmo, no dia a dia fica evidente que a confiança básica dessas pessoas foi comprometida. Elas têm problemas de autoestima e duvidam que os outros (o parceiro, a chefe, um novo amigo, etc.) gostem mesmo delas ou que sejam desejadas. Têm baixa autoestima, são inseguras em diversos aspectos e costumam ter dificuldade para se relacionar. Não tendo desenvolvido a confiança básica, falta-lhes um apoio interior. Assim, nutrem a esperança de que os outros transmitam a elas esses sentimentos de segurança, proteção e pertencimento. Procuram um lar no parceiro, nos colegas de trabalho, em um esporte ou no consumo, mas se frustram, pois os outros só podem transmitir esse sentimento de modo esporádico, na melhor das hipóteses. É um beco sem saída: quem não tem um lar dentro de si tampouco vai encontrá-lo no mundo exterior.

Quando falamos dessas influências da infância – que, junto com os fatores hereditários, definem grande parte de nosso modo de ser e nossa autoestima –, estamos falando de um componente de nossa personalidade que, na psicologia, é chamado de "criança interior". A criança interior representa todo esse conjunto de impressões (tanto as boas quanto as ruins) que nos foram transmitidas na infância por nossos pais e por outras pessoas centrais em nossa vida. Apesar de não nos lembrarmos da grande maioria dessas experiências, elas se encontram gravadas de modo indelével em nosso inconsciente. Assim, podemos afirmar que a criança interior é um componente essencial de nosso inconsciente. Ela abarca os medos, as preocupações e as adversidades que experimentamos desde o berço, mas também todas as influências positivas de nossa infância.

São sobretudo as influências negativas que nos causam problemas quando adultos, pois a criança em nós faz de tudo para que as mágoas e as dores sofridas na infância não se repitam. Ao mesmo tempo, ela continua em sua busca pela segurança e pelo reconhecimento que não teve. Os medos e os desejos atuam ativamente nas profundezas da nossa consciência. No nível consciente, somos adultos independentes levando nossa vida, mas, no nível inconsciente, nossa criança interior tem grande influência sobre nossa percepção, nossa maneira de sentir, de agir e de pensar. É algo muito mais forte que nosso intelecto, aliás. Já foi comprovado pela ciência que o inconsciente é uma instância psíquica extremamente poderosa, determinando entre 80% e 90% de tudo que fazemos e vivenciamos.

Vejamos um exemplo que ilustra bem isso. Miguel tem frequentes acessos de raiva quando a esposa, Selma, esquece algo que é importante para ele. Um dia desses, quando Selma foi ao mercado e não comprou o refrigerante preferido de Miguel, ele simplesmente perdeu a cabeça. Ela ficou perplexa, afinal de contas, era só um refrigerante, mas, para Miguel, era o fim do mundo. O que aconteceu?

Miguel não entende que sua criança interior se sente desrespeitada e desconsiderada quando Selma esquece algo importante para ele, como seu refrigerante preferido. Ele não sabe que o motivo dessa raiva imensa não é Selma nem o refrigerante em si, mas uma ferida profunda do passado: sua mãe não levava a sério seus desejos quando ele era criança. Ao esquecer o refrigerante preferido de Miguel, Selma sem querer cutucou essa ferida antiga e, como ele não percebe a ligação entre sua reação ao esquecimento de Selma e as experiências vividas na infância com a mãe, acaba não podendo atuar sobre os próprios sentimentos e comportamento.

Há outros conflitos desse tipo na relação dos dois. Eles brigam com frequência por motivos banais, pois não sabem o que *realmente* se passa dentro de si mesmos. Assim como Miguel, Selma também é guiada por sua criança interior, que é sensível a críticas pois teve pais muito críticos. Ou seja, os acessos de raiva de Miguel desencadeiam em Selma sentimentos antigos da infância, fazendo com que ela se sinta pequena e insignificante e, por isso, reaja de forma irritadiça. Às vezes eles chegam a considerar a separação, já que se magoam profundamente de tanto brigar por besteira.

Se cada um entendesse os desejos e as dores de sua criança interior, seria mais fácil expressá-los em vez de discutir por causa de refrigerante. Com certeza se entenderiam melhor, ficando mais próximos em vez de se atacarem mutuamente.

Não é só em relacionamentos amorosos que surgem conflitos por ignorarmos a existência de nossa criança interior. Uma vez que a conhecemos, fica evidente que em muitas discussões não são adultos tentando solucionar juntos um conflito, mas crianças interiores se estapeando. Um exemplo é quando um funcionário reage à crítica do chefe se demitindo, ou mesmo quando o presidente de um país responde a uma violação de fronteira com um ataque militar. Não conhecer a criança interior traz grande infelicidade, levando a conflitos interpessoais que não raro saem do controle.

Isso não quer dizer, no entanto, que as pessoas que adquiriram confiança básica graças a uma infância feliz vivam sem preocupações e sem problemas. A criança interior dessas pessoas também sofreu golpes – afinal, não existem pais perfeitos, tampouco uma infância perfeita. Elas herdaram dos pais não apenas influências positivas, mas também traços difíceis que podem lhes causar problemas mais tarde. Geralmente não são problemas gritantes como os acessos de raiva de Miguel. Elas podem ter dificuldade em confiar em alguém fora do círculo familiar, por exemplo, ou evitar ao máximo tomar decisões importantes, ou ainda, quem sabe, preferem permanecer em sua zona de conforto a se arriscar. Mesmo assim, as influências negativas da infância nos limitam, impedindo nossa evolução e prejudicando nossos relacionamentos.

De qualquer modo, algo que vale para quase todos nós é: somente quando conhecemos nossa criança interior e a acolhemos é que nos abrimos para descobrir os profundos anseios e cicatrizes que trazemos dentro de nós. Só então podemos vir a aceitar esse lado ferido de nossa alma e começar a curar parte dele. Assim fortalecemos nossa autoestima e a criança em nós finalmente tem a chance de encontrar um lar. Esse é um pré-requisito para construirmos relações mais tranquilas, amigáveis e felizes e para conseguirmos encerrar relações que não nos fazem bem ou até nos adoecem.

Este livro vai ajudar você a conhecer sua criança interior e a acolhê-la. Vai ajudar você a abandonar esses antigos padrões que dão em becos sem saída e trazem sofrimento. Vai lhe mostrar como substituí-los por novos comportamentos e perspectivas que contribuam para uma vida melhor e relacionamentos mais felizes.

CAPÍTULO 2
OS MODELOS DA PERSONALIDADE HUMANA

Na superfície da consciência, nossos problemas parecem complicados e sem solução. E, da mesma forma, temos dificuldade para entender as ações e os sentimentos de outras pessoas. Isso porque nos falta a perspectiva correta para enxergar a nós mesmos e os outros.

Na verdade, a estrutura da psique humana (nossa personalidade) não é tão complicada assim. De forma simplificada, nossa personalidade tem várias partes: temos partes infantis e partes adultas, bem como níveis conscientes e inconscientes. Ao conhecermos a estrutura da nossa personalidade, somos capazes de trabalhá-la e resolver muitos problemas que antes pareciam insolúveis. Vou explicar neste livro como isso funciona.

Como foi dito, a criança interior é uma metáfora para as partes inconscientes da nossa personalidade que foram cunhadas na infância. Nosso emocional está atrelado a nossa criança interior. Isso inclui o medo, a dor, a tristeza e a raiva que sentimos, mas também a alegria, a felicidade e o amor. Ou seja, a criança interior tem traços positivos e felizes, mas também traços negativos e tristes. Neste livro, vamos conhecê-los melhor para poder trabalhá-los.

Existe também o ego adulto, ou o "adulto interior". Essa instância psíquica abrange a parte sensata e racional da nossa mente, isto é, nossos pensamentos. Quando funcionamos no modo adulto, assumimos responsabilidades, planejamos, agimos com antecedência, percebemos e compreendemos conexões, avaliamos riscos e também controlamos o ego criança, isto é, nossa criança interior. O ego adulto age de forma consciente e proposital.

Sigmund Freud foi o primeiro a dividir a personalidade humana em instâncias diferentes. O que na psicologia moderna é chamado de criança interior ou ego criança, ele chamou de "id". O ego adulto, ele chamou simplesmente de "ego". Freud descreveu ainda o chamado "superego", que seria uma espécie de instância moral dentro de nós que a psicologia moderna chama de "ego pai" ou "crítico interior". Quando agimos no modo pai, nos dirigimos a nós mesmos no seguinte tom: "Deixa de ser burro! Você não passa de um inútil, não faz nada direito! Nunca vai conseguir fazer isso!"

Algumas abordagens terapêuticas mais recentes, tais como a terapia do esquema, dividem essas três instâncias principais (ego criança, ego adulto e ego pai) em outras menores. Temos, por exemplo, a criança interior ferida, a alegre e a zangada, e temos pais interiores castigadores ou benevolentes. O renomado psicólogo alemão Schulz von Thun identificou toda uma série de subpersonalidades, chegando a cunhar o termo "equipe interior".

Neste livro, quero manter as coisas o mais simples e pragmáticas possível. Quando tentamos lidar ao mesmo tempo com várias instâncias psíquicas – a que me refiro como "modos" –, logo vemos que o trabalho se torna árduo e pesado. É por isso que vou me concentrar na criança interior alegre, na criança interior ferida e no adulto interior. Como minha experiência me mostrou, essas três instâncias bastam para solucionar nossos problemas. Mas vou substituir os termos "criança interior alegre" e "criança interior ferida" por "criança-sol" e "criança-sombra", pois soam muito melhor. Mas não fui eu quem os inventou, e sim a psicóloga Julia Tomuschat, autora do inspirador livro *Das Sonnenkind-Prinzip* (A essência da criança-sol).

Tanto a criança-sol quanto a criança-sombra são subdivisões da parte de nossa personalidade que denominamos "criança interior" e que representa nosso inconsciente. Estritamente falando, existe apenas *um* inconsciente, ou seja, apenas *uma* criança interior. Além disso, a criança interior nem sempre se revela de modo inconsciente, pois se torna consciente assim que começamos a trabalhar com ela. A criança-sol e a criança-sombra representam estados diferentes da nossa consciência. É uma diferenciação mais pragmática do que científica. Em meus muitos anos de experiência como psicoterapeuta, desenvolvi um método para solucionar problemas que utiliza as metáforas da criança-sol e da criança-sombra e com o qual você pode resolver quase todos os seus problemas. Digo "quase" pois isso não vale para problemas que estão *fora de seu controle*, o que inclui reviravoltas do destino como doenças, a morte de um ente querido, guerra, catástrofes naturais, crimes violentos e abuso sexual. Vale lembrar que a capacidade de lidar com tais reviravoltas vai variar de acordo com a personalidade de cada um: pessoas que já se encontravam em conflito com a criança-sombra antes de uma tragédia terão mais dificuldade em superá-la do que aquelas mais propensas ao modo criança-sol. Se seu maior problema deriva de uma tragédia, você também tirará proveito deste livro, mas terá maiores benefícios para tratar problemas "caseiros" – dificuldades de relacionamento, humores depressivos, estresse, medo do futuro, apatia, crises de pânico, comportamentos compulsivos e outros que em geral são de nossa responsabilidade. Todos esses costumam estar relacionados à nossa criança-sombra, ou, em outras palavras, à nossa autoestima.

CAPÍTULO 3

A CRIANÇA-SOL E A CRIANÇA-SOMBRA

O que sentimos e quais sentimentos conseguimos perceber (ou deixamos de perceber) dentro de nós dependem essencialmente de nosso temperamento inato e das experiências que tivemos na infância. Nossas *crenças* inconscientes desempenham um papel importante nisso. A psicologia entende uma crença como uma convicção profundamente enraizada que expressa uma postura que adotamos em relação a nós mesmos ou ao outro. Muitas crenças são forjadas já nos primeiros anos da vida, na interação com as pessoas que nos são mais próximas. Uma crença interior pode ser algo como "Estou bem", ou "Não estou bem". No decorrer da infância e por toda a vida, interiorizamos tanto crenças positivas quanto negativas. As positivas (como "Estou bem") se originam de situações nas quais nos sentimos amados e queridos pelas pessoas mais próximas. Elas nos fortalecem. Já as crenças negativas (como "Não estou bem") se originam de situações nas quais nos sentimos deslocados e rejeitados. Elas nos enfraquecem.

A *criança-sombra* abarca nossas crenças negativas e os sentimentos opressivos que delas resultam, como tristeza, medo, desamparo e raiva. E desses sentimentos se originam as chamadas estratégias de autoproteção, que desenvolvemos para conseguir lidar com esses sentimentos – ou, melhor ainda, para evitar senti-los. Algumas dessas estratégias mais comuns são o perfeccionismo, a obsessão por harmonia, a obsessão por controle, a dominação e, ainda, a agressividade. Mais adiante falarei mais um pouco sobre crenças, sentimentos e estratégias de autoproteção. Por ora, basta que você entenda que a criança-sombra representa aquela parte de nossa autoestima que foi ferida e, por isso mesmo, está fragilizada.

A *criança-sol*, por outro lado, abarca todas as influências positivas e todos os sentimentos bons, representando tudo que é inerente às crianças felizes: espontaneidade, sede de aventura, curiosidade, entrega, vitalidade, entusiasmo e alegria de viver. A criança-sol é uma metáfora para a parte intacta da autoestima. Mesmo as pessoas que carregam um grande peso desde a infância apresentam partes saudáveis em sua personalidade. Elas também passam por situações em que não reagem de forma excessiva e em que se mostram alegres, interessadas e brincalhonas, isto é, momentos nos quais a criança-sol sobressai. Mesmo assim, ela aparece pouco nas pessoas que tiveram uma infância difícil. É por isso que, neste livro, vamos alimentar a criança-sol e consolar a criança-sombra dentro de nós, reconfortando-a e assim levando-a a abrir mais espaço para a criança-sol.

Você já deve ter compreendido que a criança-sombra é a parte da nossa psique que nos traz problemas, sobretudo quando não temos consciência de sua existência e, por consequência, não refletimos sobre ela. Voltemos ao exemplo de Miguel e Selma. Quando observa o próprio comportamento a partir do ego adulto, Miguel percebe que costuma reagir com exagero. Por isso, muitas vezes ele tenta suavizar a raiva. Às vezes até consegue, mas é algo raro.

A razão para essa pequena taxa de sucesso é que seu adulto interior, isto é, sua mente consciente e pensante, não sabe das mágoas de sua criança interior. E é por isso que, como adulto, ele não tem influência sobre a criança-sombra. Ou seja, sua mente consciente, pensante e sensata não consegue controlar suas emoções e seu comportamento, todos determinados pela criança-sombra.

Para conseguir controlar seus acessos de raiva, Miguel vai precisar se conscientizar da conexão entre as mágoas causadas pela mãe na infância e o relacionamento dele com Selma. Ele precisará refletir sobre a ferida permanente que a criança-sombra carrega dentro de si e que sempre dói quando ela acha que seus desejos não são respeitados. Então seu adulto interior poderá acalmar sua criança-sombra mais ou menos assim: "Cá entre nós, não é porque a Selma esqueceu seu refrigerante que ela não ama você e não leva seus desejos a sério. Selma não é sua mãe. E ela não é perfeita, assim como você. Às vezes ela vai esquecer alguma coisa, talvez até seu refrigerante preferido, mas isso não tem nada de mais." Se a parte adulta de Miguel estivesse separada da criança-sombra de forma consciente, ele não teria interpretado o esquecimento de Selma como falta de respeito ou de amor, mas como uma simples falha humana. Com essa pequena correção na maneira de encarar as coisas, ele nem teria se aborrecido. Sendo assim, se quiser controlar seus acessos de raiva, Miguel precisa direcionar a atenção para sua criança-sombra e as feridas que ela carrega. Além disso, ele precisa aprender a entrar conscientemente no modo adulto, sereno e benevolente, para poder reagir de forma adequada e amorosa aos impulsos da criança-sombra em vez de agredir Selma com acessos de fúria.

CAPÍTULO 4

COMO NOSSA CRIANÇA INTERIOR SE DESENVOLVE

As partes da personalidade que correspondem à criança-sol e à criança-sombra são, em sua essência (se não inteiramente), formadas até a idade de 6 anos. No desenvolvimento humano, os primeiros anos de vida são tão importantes porque é nesse período que se forma a estrutura cerebral, com todas as redes neurais e sinapses. Por isso, o que vivenciamos nesse estágio com as pessoas que nos são mais próximas fica gravado em nossa mente. A maneira como nossos pais nos tratam se torna um modelo para todos os nossos relacionamentos futuros. Com nossos pais aprendemos a enxergar a nós mesmos e nossas relações interpessoais. Nossa autoestima se desenvolve nesses primeiros anos e, com ela, também a confiança no outro – ou, em casos menos felizes, a desconfiança que levamos para nossas relações.

Contudo, devemos tomar o cuidado de não enxergar tudo preto ou branco, pois nenhuma relação entre pais e filhos é totalmente boa ou totalmente ruim. Mesmo que nossa infância tenha sido boa, existe uma parte dentro de cada um de nós que carrega mágoas. A situação da criança como tal explica isso por si só: viemos para este mundo pequenos, nus e completamente indefesos. Para o recém-nascido, encontrar uma pessoa que se encarregue dele vai decidir sobre a vida e a morte. Ou seja, após o nascimento (e ainda por muito tempo) somos inteiramente indefesos e dependentes. É por isso que em cada um de nós existe também uma criança-sombra que se sente pequena e insignificante e que, antes de tudo, pressupõe que não está bem. Além disso, por mais amorosos que sejam, os pais não são capazes de realizar todos os desejos da criança, pois também é preciso impor limites. O segundo ano de vida, principalmente, que é quando se aprende a andar, é repleto de proibições e limites impostos pelos pais ou cuidadores. O tempo todo a criança é chamada à atenção para que não quebre o brinquedo, não brinque com a comida, não derrube o vaso de vidro, para que use o troninho, para ter cuidado, etc. Ou seja, a criança sente com frequência que está fazendo algo de errado, que algo de certa forma "não está bem".

No entanto, além desses sentimentos de inferioridade, a maioria das pessoas também apresenta estados interiores nos quais se percebem valorizadas e se sentem "bem". Afinal, não vivemos somente coisas ruins na infância. Também temos experiências boas: a atenção que nos é dada, o sentimento de segurança, diversão, alegria e lazer. Por isso, também temos essa parte em nós que chamamos de criança-sol.

Para a criança (real), a situação fica bem difícil quando os pais, sobrecarregados com o cuidado e a criação, começam a gritar com ela e até a bater ou se tornam negligentes. Crianças pequenas não sabem julgar as ações dos pais como boas ou ruins. Para elas, os pais são grandes e infalíveis. Quando sofre agressões, sejam verbais ou físicas, a criança não pensa "Papai não sabe controlar a raiva e precisa urgentemente fazer terapia". Ela atribui a agressão a ser má. Antes de aprender a falar, ela não consegue sequer pensar que é uma criança errada e má, mas sente que está sendo punida e que, portanto, agiu errado.

Em termos gerais, nos primeiros dois anos de vida sabemos se somos queridos ou não sobretudo por meio dos sentidos. Praticamente todo o cuidado que se tem com recém-nascidos e crianças pequenas é físico: alimentação, banho, troca de fralda… e, acima de tudo, carinho. Por meio de carinho, olhares amorosos e o tom de voz da pessoa cuidadora, a criança consegue deduzir se é bem-vinda ou não neste mundo. E, já que nos primeiros dois anos de vida estamos inteiramente à mercê das ações de nossos pais, é nesse período que se desenvolve a chamada confiança básica, ou a desconfiança básica. O adjetivo "básico" remete a uma experiência existencial profunda, experiência essa que cria raízes profundas na memória do corpo. Pessoas que adquiriram confiança básica demonstram uma firme confiança em si mesmas, que é a condição necessária para confiarmos também nos outros. Já aquelas que não adquiriram essa confiança básica sentem grande insegurança e desconfiam dos outros. Pessoas com confiança básica tendem a agir no modo criança-sol, enquanto, em pessoas sem confiança básica, a criança-sombra tende a ter mais espaço.

Hoje em dia, por meio de pesquisas neurocientíficas, já foi comprovado que crianças que sofreram muito estresse nos primeiros anos de vida (tendo sido maltratadas, por exemplo) apresentam níveis elevados dos hormônios do estresse durante a vida inteira. Isso as torna mais propensas a sentir estresse também quando adultas; afinal, são mais sensíveis e reagem com mais força aos agentes estressores. Além disso, aguentam menos pressão emocional do que aquelas pessoas cuja infância foi definida sobretudo por sentimentos de segurança e proteção. Para nosso interesse aqui neste livro, isso significa que elas se identificam mais com sua criança-sombra.

É claro que os anos seguintes também são importantes na formação de um ser humano e que, além de nossos pais, outras pessoas próximas também nos influenciam – avós, amigos, professores, etc. No entanto, em nome da concisão, aqui vou me limitar à influência dos pais ou cuidadores, pois, de outra maneira, o livro ficaria muito extenso. Se suas experiências com outras crianças, seus avós ou seus professores foram muito importantes, você pode dedicar a elas os exercícios deste livro.

Não nos lembramos dos primeiros dois anos de vida com a mente consciente, isto é, com nosso ego adulto, apesar de estarem registrados profundamente em nosso subconsciente. Para a maioria das pessoas, as primeiras lembranças começam na época do maternal ou da pré-escola. Nessa idade já conseguimos nos lembrar de forma consciente como nossos pais nos tratavam e como nos relacionávamos com eles.

UMA OBSERVAÇÃO SOBRE A AUTOCONSCIÊNCIA

Reflexão e *refletir* são as palavras preferidas dos psicólogos, e não à toa: quem reflete tem acesso privilegiado a seus sentimentos, motivações e pensamentos, podendo estabelecer uma relação "psico-lógica" entre esses elementos e as próprias ações. Também pode se manter atento à parte sombria de sua personalidade e assim reduzir danos. Por exemplo: a pessoa será capaz de perceber a tempo que antipatiza com alguém muito mais por inveja do que por uma característica do outro. E mais: ao admitir isso para si mesma, é muito provável que chegue à conclusão de que não seria justo tentar prejudicar esse alguém. Ela tem maiores chances de conseguir domar o monstro da inveja e assim preservar a relação com essa pessoa. Justamente por ter um acesso privilegiado aos próprios sentimentos, será capaz de redirecioná-los para um caminho mais positivo, lembrando a si mesma que também já conquistou muitas coisas na vida e que também tem motivos para agradecer. Se não admitir que o sucesso alheio machuca seu ego, ela pode ser levada a desejar o mal à pessoa que inveja, mesmo que somente por meio de pequenos comentários negativos, talvez na frente de terceiros.

Esse é um pequeno exemplo de que a questão não é somente encontrar soluções para os próprios problemas, mas também se comportar de forma mais responsável socialmente. Autoconhecimento e reflexão não são importantes apenas no nível individual. Se não refletimos sobre alguns sentimentos, em especial os de impotência e de inferioridade, podemos tentar compensá-los com uma sede exacerbada de poder e com uma necessidade de atenção e, por conta disso, acabar agindo de maneira indesejada. Uma pessoa que se identifica com sua criança-sombra está mais sujeita a percepções distorcidas. Para a criança-sombra, o outro é sempre maior, por isso ela atribui más intenções a esse outro – como vimos no caso de Miguel e Selma. Como não reconhece a conexão entre as mágoas da infância e a raiva que sente, Miguel se enxerga como uma vítima da "desconsideração" e da "falta de respeito" de Selma, transformando-a em agressora aos seus olhos, e assim o conflito segue seu curso. Nesse caso é uma mera briga de casal, mas há também casos muito graves, como estadistas que podem levar um povo inteiro à perdição por causa da infinita sede de poder decorrente da falta de autorreflexão.

Por isso, um dos meus objetivos é transmitir a meus leitores a ideia de que o autoconhecimento é o caminho ideal não apenas para se libertar dos problemas, mas também para se tornar uma pessoa melhor.

CAPÍTULO 5

AS NECESSIDADES QUE OS PAIS DEVEM ATENDER

Já entendemos que nossa criança-sombra e nossa criança-sol são moldadas pelas experiências que tivemos na infância com as pessoas que nos eram mais próximas. A consequência lógica disso é que a criação tem um papel essencial em determinar se vamos agir mais no modo criança-sol, que tem boa autoestima e confia em si mesma e nos outros, ou se vamos agir mais no modo criança-sombra, que se sente insegura e encara os outros com desconfiança.

Existem inúmeros livros sobre educação infantil que ensinam como guiar as crianças ao longo de todas as fases iniciais da vida. Esses guias costumam girar em torno dos típicos conflitos entre pais e filhos e como resolvê-los ou como redirecionar comportamentos inadequados. Do ponto de vista da psicologia, no entanto, educar envolve questões muito mais fundamentais. Uma criança tem diversas necessidades emocionais básicas. Quando conseguem suprir essas necessidades da criança, os pais a estão ajudando a se tornar um adulto com confiança básica e com confiança em si mesma e nos outros.

O renomado pesquisador Klaus Grawe analisou essas necessidades e seu significado para o ser humano, e citarei suas descobertas ao longo deste livro. A meu ver, entender as necessidades emocionais básicas é um excelente ponto de partida para entendermos melhor nossa criança-sombra e a nós mesmos, pois assim temos à mão um método que permite matar dois coelhos com uma cajadada só: nos ajuda a entender as influências que trazemos da infância e também a entender nossos problemas atuais, justamente porque as raízes desses problemas se encontram na infância. As necessidades emocionais básicas, assim como as necessidades fisiológicas, não mudam ao longo da vida. Todo bem-estar ou mal-estar que sentimos é um indício de que uma ou mais de nossas necessidades emocionais ou físicas básicas estão sendo afetadas. Se sentimos que nossas necessidades básicas foram satisfeitas, então nos sentimos bem. Ou então, se sentimos mal-estar, percebemos que algo nos falta.

As quatro necessidades emocionais básicas são:

- necessidade de *conexão*
- necessidade de *autonomia* e *controle*
- necessidade de *ter prazer* ou *evitar desprazer*
- necessidade de *autoestima* e *reconhecimento*

Até onde sei, não existe nenhum transtorno psicológico que não possa ser explicado por uma violação de uma ou mais dessas necessidades básicas. Quando Miguel fica com raiva porque a esposa esqueceu o refrigerante dele, é porque suas necessidades de autoestima e de reconhecimento foram frustradas. Assim como sua necessidade de obter prazer e evitar desprazer. Sempre que sentimos estresse, angústia, raiva ou medo, o que está em jogo são nossas necessidades básicas. E às vezes não é só uma que não foi atendida, mas várias, até mesmo todas. Se, por exemplo, estamos sofrendo por amor, foi nossa necessidade de conexão que foi frustrada, bem como nossas necessidades de controle (porque não temos mais influência sobre a pessoa amada) e de prazer. E, para completar, a rejeição abalou nossa autoestima. Assim, com tantas necessidades não atendidas, o sofrimento pode levar a melhor sobre nós e nos puxar para baixo.

Quando adotamos essa perspectiva, as causas dos nossos problemas se tornam muito mais claras e manejáveis. Algo que parecia complexo é reduzido a sua essência, o que muitas vezes leva à solução.

Se Miguel entendesse que o esquecimento da esposa afetou suas necessidades de autoestima e reconhecimento, já avançaria um passo. Essa compreensão lançaria alguma luz sobre o gatilho (a bebida esquecida) que aciona a reação (raiva). Ele poderia ver que a causa de sua raiva é a insatisfação de sua necessidade de reconhecimento. Só essa constatação já poderia ajudá-lo a se distanciar de antigos padrões psicológicos e fazê-lo se questionar se Selma *realmente* feriu sua autoestima. A resposta provavelmente seria "não". Em vista disso, numa próxima vez ele poderia reagir de forma mais relaxada, além de se questionar a respeito das causas de sua sensibilidade. Essa pergunta, por sua vez, poderia levá-lo a descobrir que esse sentimento – de ser invisível e não ter suas necessidades atendidas – lhe é familiar desde a infância. Provavelmente ele se lembraria de alguns incidentes com a mãe. E, por fim, talvez conseguisse ver que o problema não é Selma, mas sua relação com a mãe. Assim ele estaria um passo mais próximo de si mesmo e da solução de seu problema de agressividade.

CAPÍTULO 6

AS QUATRO NECESSIDADES EMOCIONAIS BÁSICAS

Antes de explicar como Miguel, ou melhor, como *você* pode mudar antigos padrões psicológicos, vamos analisar mais de perto as quatro necessidades emocionais básicas. À medida que for lendo, tente desenvolver uma percepção dentro de si para ver como sua criança-sombra e sua criança-sol foram moldadas por essas necessidades.

Necessidade de conexão

A necessidade de *conexão* nos acompanha desde o nascimento até a morte. Como vimos, o recém-nascido não sobrevive sem vínculos. Crianças muito pequenas morrem se lhes é negado contato físico com outras pessoas. Mas a necessidade de conexão, pertencimento e comunhão vai além dos cuidados físicos, sendo também uma necessidade emocional básica. Ela desempenha um papel importante em inúmeras situações, não somente nos contextos familiares e amorosos, portanto podemos satisfazê-la quando nos encontramos com amigos, quando conversamos com alguém on-line, quando interagimos com colegas de trabalho, quando vamos ao cinema, etc.

A necessidade de conexão da criança pode ser frustrada pelos pais quando eles cometem *negligência, rejeição* e/ou *maus-tratos*. Vale lembrar que o conceito de negligência é muito abrangente. Há casos menos graves, em que a criança se sente negligenciada porque os pais, em geral bem amorosos, estão estressados e sobrecarregados em função de fatores externos (talvez tenham quatro filhos e estejam passando por dificuldades financeiras, por exemplo). E há casos mais graves, de maus-tratos físicos ou psicológicos por parte de pais ou cuidadores desequilibrados.

Não satisfazer a necessidade de conexão da criança pode afetar seu desenvolvimento psicológico de diversas maneiras. É certo que o grau da negligência sofrida é um fator decisivo, mas a predisposição mental da criança também importa. A conjugação desses fatores vai determinar se a negligência sofrida afetará apenas de leve a autoestima da criança ou se levará a graves transtornos mentais. Na maioria dos casos, a capacidade da criança de formar vínculos fica comprometida, de modo que, na idade adulta, ela pode acabar evitando estabelecer vínculos afetivos ou se tornando carente, dependente do parceiro ou de outras pessoas.

Necessidade de autonomia e controle

As crianças (assim como os adultos) também têm necessidade de *autonomia*. No caso de bebês, isso significa que não basta receber comida e carinho: eles também querem explorar o ambiente e fazer descobertas. As crianças têm uma *grande curiosidade natural*, tanto que procuram ser independentes assim que seu desenvolvimento permite, orgulhando-se de conseguir fazer algo sem a ajuda de um adulto. Desde muito pequenas as crianças insistem em dizer "Eu faço!" quando os pais tentam ajudá-las. Todo o nosso desenvolvimento ocorre para que possamos nos tornar autônomos e para não precisarmos mais dos cuidados de nossos pais.

Autonomia equivale a controle, e controle equivale a segurança. Quando dizemos que alguém é controlador, estamos falando de uma pessoa que se preocupa muito com a própria segurança, porque, no fundo (por influência da criança-sombra), se sente desprotegida. A necessidade de autonomia está associada a um desejo não apenas de segurança, mas também de *poder*. Desde o nascimento somos impelidos a exercer alguma influência sobre o ambiente ao nosso redor e a evitar desamparo e impotência. Os meios pelos quais conseguimos exercer influência mudam conforme crescemos. No começo, a única coisa que podemos fazer é chorar para obter atenção; só depois passamos a nos valer de uma linguagem complexa e de ações.

A necessidade de autonomia pode ser minada na infância por pais controladores demais ou superprotetores, que ditam muitas regras ou impõem limites rígidos. Isso afeta o desenvolvimento da independência. À medida que se torna adulta, a criança interioriza todo esse receio e talvez se limite por duvidar muito da própria capacidade.

Do mesmo modo, pais bem-intencionados que estão sempre retirando os obstáculos do caminho dos filhos também podem atrapalhar. Essas crianças se tornam adultos sem autonomia, dependentes de alguém que se encarregue das responsabilidades em seu lugar. Ou então vão para o outro extremo: rejeitam a educação dos pais e inventam pretextos quase mirabolantes para permanecer independentes e livres e assim exercer o máximo de poder.

Uma observação: o conflito entre dependência e autonomia

De um lado, temos a necessidade de conexão, e, de outro, a necessidade de autonomia. Encontrar o equilíbrio é um desafio que se impõe a cada um de nós. Trata-se de uma questão fundamental do ser humano, que, na literatura especializada, é chamada de *conflito dependência/autonomia*. Aqui de podemos entender dependência como sinônimo de conexão. Refiro-me à dependência da criança em relação aos cuidados e à atenção dos pais. Como já mencionei, esse cuidado só é possível por meio de um vínculo com pelo menos uma pessoa, na maioria dos casos a mãe ou o pai, ou ambos. Se os pais satisfizeram as necessidades físicas e emocionais da criança com muito amor e dedicação, no cérebro dessa criança se formarão conexões que vão associar dependência a um estado de segurança e não somente a algo negativo, ou seja, na cabeça da criança, estabelecer vínculos é registrado como algo confiável e seguro. É por isso que, na linguagem técnica, também dizemos que a criança estabeleceu um *apego seguro* com a pessoa cuidadora. O contrário disso seria um *apego inseguro*, que se estabelece quando a confiança da criança foi traída pela pessoa cuidadora. A criança-sombra de pessoas com apego inseguro apresenta uma capacidade de confiança profundamente danificada. Já a criança-sol de pessoas com apego seguro tem muito mais facilidade para confiar em si mesma e em outras pessoas.

No cenário ideal, os pais satisfazem as necessidades da criança, tanto as de conexão e dependência quanto as de autonomia e independência. Crianças que crescem tendo essas necessidades atendidas desenvolvem confiança básica, isto é, um sentimento de segurança em si mesmas, que vai se estender também às outras pessoas. A confiança básica também pode ser seriamente danificada por experiências traumáticas, como violência e maus-tratos em fases posteriores do desenvolvimento, mas na maioria dos casos ela se mantém, representando uma fonte de força ao longo da vida. Pessoas que desenvolveram a confiança básica levam uma vida muito mais fácil do que aquelas que foram impedidas de adquiri-la. Agem frequentemente no modo criança-sol. Mas também é possível fomentar a criança-sol mais tarde na vida. Em breve vou explicar como fazer isso.

Se a necessidade de conexão ou de autonomia de uma criança é frustrada, ela passa a ter dificuldade para confiar em si mesma e nas outras pessoas. E, na tentativa de compensar essa insegurança, inconscientemente desenvolve um estratégia de autoproteção. Isso acontece quando seu equilíbrio interior, tendo sido perturbado, pende (de forma inconsciente) ou para o lado da autonomia, ou para o lado da dependência.

No primeiro caso, a necessidade excessiva de ser livre e independente leva essa pessoa – ou melhor, a criança-sombra dentro dela – a evitar criar vínculos muito estreitos. Sua criança-sombra estará convencida de que não pode confiar (plenamente) no outro. Para pessoas assim, ter segurança significa conservar a independência e a autonomia. Elas têm medo de compromisso. Na prática, não entram em relacionamentos ou então não permitem que o parceiro fique íntimo delas, ou até desenvolvem intimidade mas logo depois se distanciam novamente.

No segundo caso – se o equilíbrio interior pende para a dependência –, essa pessoa adquire uma necessidade excessiva de se vincular a alguém. Ela se agarra ao parceiro, pois sua criança-sombra acredita que não consegue viver sem ele. Pessoas assim têm um medo indistinto de não conseguir caminhar com as próprias pernas.

Necessidade de prazer

Esta é mais uma das necessidades básicas das crianças, bem como dos adultos. Podemos sentir prazer comendo, praticando esportes, indo ao cinema, etc. *Prazer* e *desprazer* estão profundamente ligados às emoções e constituem parte essencial de nosso sistema de motivação. Em outras palavras, estamos sempre buscando o prazer e evitando o desprazer para satisfazer nossas necessidades de alguma forma.

É essencial que o ser humano aprenda a regular as sensações de prazer e desprazer. Isso significa que ele precisa aprender a *tolerar a frustração, adiar recompensas* e *dominar impulsos*. Grande parte do processo de criação consiste em ensinar a criança a lidar bem com as sensações de prazer e desprazer.

Alguns pais limitam as sensações de prazer da criança de maneira rigorosa, enquanto outros são permissivos e a mimam. Nos primeiros anos de vida, a necessidade de prazer está intrinsecamente ligada à de conexão. Isso porque as sensações do bebê são ou de prazer ou de desprazer: fome, sede, calor, frio, dor. A função do cuidador é eliminar as sensações de desprazer do bebê suprindo suas necessidades, permitindo assim sensações de prazer, e se ele não cumpre com sua função, a necessidade de conexão da criança também é frustrada.

Em fases posteriores do desenvolvimento, surge na criança uma ligação intrínseca entre a necessidade de autonomia e as sensações de prazer. Quando a criança quer comer doces antes do almoço e a mãe ou o pai a proíbe, não apenas sua sensação de prazer é frustrada como também sua necessidade de independência.

Se a criança sofre restrições demais a seu prazer (e, portanto, também a sua autonomia), pode ser que na idade adulta ela (ou melhor, a criança-sombra dentro dela) desenvolva comportamentos compulsivos ou, pelo contrário, se abstenha totalmente de sentir prazer. Ou então, para se distanciar dos pais, ela pode se entregar de maneira indisciplinada e desmedida aos impulsos do prazer. Se, por outro lado, a criança for mimada, terá dificuldade para refrear seus desejos quando chegar à idade adulta.

Para a maioria das pessoas, manter o equilíbrio entre satisfazer e se negar os prazeres é um desafio diário, independentemente das influências a que sua criança interior foi submetida. Recorremos a nossa força de vontade o tempo inteiro, já que há inúmeras tentações por todos os lados. Mesmo numa simples ida ao mercado precisamos saber dominar nossos impulsos. Além de resistir às tentações, a força de vontade é necessária também para realizar diversas tarefas que não queremos fazer, desde acordar cedo até escovar os dentes antes de dormir. O tempo inteiro precisamos refrear os impulsos que nos impelem à geladeira, à internet ou ao bar. A disciplina é um dos pré-requisitos mais importantes para uma vida bem-sucedida, mas nos tempos atuais, em que predominam as infinitas possibilidades e o excesso, é extremamente desgastada.

Saiba mais sobre força de vontade e disciplina no Capítulo 16.

Necessidade de autoestima e reconhecimento

Temos a necessidade inata de *reconhecimento*. Essa necessidade está intrinsecamente ligada à nossa necessidade de conexão, pois, se uma pessoa não nos reconhece, não podemos estabelecer vínculo com ela. A conexão que sentimos com outra pessoa é uma forma de amor e de reconhecimento, e é por isso que essas necessidades também são existenciais. Mas o desejo de ser reconhecido também está ligado a outro fator: ainda bebês, sabemos, por meio do comportamento de nossos pais, se somos amados e queridos ou não. O renomado sexólogo americano David Schnarch chamou esse processo de *autoestima espelhada*. A criança vê refletido nos cuidadores se ela própria está "bem" ou não. Por exemplo, quando a mãe sorri para ela, é como se segurasse um espelho na sua frente, mostrando que a mãe está feliz por saber que ela existe. É por meio do comportamento dos cuidadores que a criança desenvolve a autoestima. Também na fase adulta temos essa necessidade de reconhecimento alheio, porque desde o nascimento somos condicionados a compreender nossa autoestima através do reflexo que outras pessoas nos mostram de nós. Isso vale tanto para as pessoas que foram reconhecidas na infância quanto para aquelas que não o foram.

No entanto, nossa autoestima dita até que ponto precisamos de reconhecimento alheio. Pessoas com baixa autoestima, isto é, que se identificam frequentemente com sua criança-sombra, em geral dependem mais do reconhecimento alheio do que aquelas que são seguras de si e cuja criança-sol se desenvolveu bem.

A autoestima é o epicentro de nossa psique. Nossos recursos mentais se alimentam dela, mas também os problemas, quando ela foi danificada. Como já vimos, atribuímos nossa parte insegura à criança-sombra e nossa parte segura à criança-sol. O objetivo central deste livro é entender como fortalecer a criança-sol e como consolar a criança-sombra.

Todos os quatro níveis das necessidades emocionais básicas podem exercer influências positivas e negativas no nosso desenvolvimento e, assim, afetar a criança-sombra e a criança-sol. É provável que, em sua leitura até aqui, você tenha refletido a respeito dos pontos fracos e fortes de seus pais. Depois vou mostrar como descobrir o que o afetou na infância. Antes, porém, ainda quero equipar seu ego adulto com algumas informações sobre como as influências que sofremos na infância atuam na formação do nosso sistema de crenças e das nossas estratégias de autoproteção.

CAPÍTULO 7

COMO A INFÂNCIA MOLDA O COMPORTAMENTO

Quando não obtém atenção e compreensão suficientes de suas necessidades, a criança passa a se desdobrar para obtê-las. Quase tudo que se faz na infância tem o propósito de agradar aos pais. Se eles se mostram insuficientes em sua capacidade de amar e de entender os sentimentos e desejos da criança, esta assume a responsabilidade, na tentativa de fazer a relação funcionar.

Por exemplo, se os pais forem rigorosos demais e esperarem comportamento e obediência impecáveis, a criança vai se esforçar para estar sempre à altura dessas exigências, seja no intuito de satisfazê-los ou ao menos de não ser castigada. Também vai ter que reprimir todos os sentimentos e desejos que se chocam com as expectativas dos pais, para melhor atendê-las. A consequência disso é que ela não aprende a lidar bem com a raiva. E a raiva é útil, no sentido de permitir que a pessoa se afirme e estabeleça limites. Se, na tentativa de se afirmar, a criança nunca prevalece diante da força superior dos pais, com o tempo ela aprende que é melhor suprimir a raiva e, assim, não tem a oportunidade de aprender a lidar com esse sentimento nem de se impor. Ela desenvolve crenças como "Não devo me defender", "Não posso ficar com raiva", "Preciso me adequar", "Não posso ter vontade própria".

Mais tarde (geralmente na adolescência), essa criança pode vir a combater a educação que recebeu dos pais e se rebelar contra a pressão por adequação, mas vai permanecer refém desse sistema, pois na rebeldia encontrará tão pouca liberdade quanto na conformidade. A criança-sombra desse adolescente (e, futuramente, desse adulto) está marcada pela experiência de ter sido dominada pelos pais. E, através das lentes de sua experiência, rapidamente vai enxergar as outras pessoas como dominadoras ou submissas, além de se adequar ou se rebelar em resposta a isso. Somente quando conhecer sua criança-sombra e conseguir dissolver todas essas crenças é que essa pessoa vai poder se sentir à altura dos outros.

"Mamãe me entende!": a empatia parental

Os pais que não conseguem se colocar no lugar dos filhos dificilmente assimilam o que eles sentem e do que precisam. É assim que as crianças começam a acreditar que o que pensam e sentem é errado. Se os pais têm dificuldade em se colocar no lugar dos filhos, tampouco conhecem bem as próprias emoções, pois isso é condição essencial para ter empatia. Se, por exemplo, a criança estiver triste porque um amigo não quis brincar com ela, a mãe precisa entrar em contato com os próprios sentimentos de tristeza para ser capaz de entender a situação do ponto de vista da criança. Se ela lida com a própria tristeza ignorando ou ocultando o sentimento, vai fazer o mesmo com o sentimento de tristeza da criança. E, por não saber o que fazer, é possível que seja dura com a criança, dizendo que ela não tem por que ficar assim e que esse amigo é um bobo. Assim, a criança aprende que é errado sentir essa tristeza e que é incapaz de fazer bons amigos. Se a mãe (ou outra pessoa próxima) soubesse lidar com os próprios sentimentos e os conhecesse bem, poderia tomar as dores do filho e tratá-las, dizendo algo como "Eu entendo que você esteja triste porque o João não quis brincar com você hoje", e poderia conversar com o filho sobre os possíveis motivos de Joãozinho não querer brincar e sobre a possibilidade de o filho ter contribuído para isso de alguma forma. Assim a criança aprende a dar um nome às emoções sentidas (nesse caso, tristeza). Ela internaliza que não vai estar sozinha quando precisar de compreensão e também que é possível encontrar uma solução para o problema.

A empatia dos pais permite que a criança aprenda a diferenciar e identificar suas emoções, chamando-as pelo nome. E, como os pais lhe mostraram que não é errado sentir aquilo, ela também poderá aprender a lidar com o que sente e estar no controle de suas emoções.

É por isso que a empatia é o maior critério de competência parental. Em outras palavras, é o meio pelo qual obtemos nossas influências boas ou más.

Da genética à personalidade: outros fatores que moldam a criança interior

Nos anos 1960, foi amplamente difundida nas áreas da psicologia e da pedagogia a ideia de que a criança nasce como *tabula rasa*, isto é, como uma "folha em branco". Muitos estavam convencidos de que o caráter e o desenvolvimento de uma pessoa dependiam inteiramente das influências exercidas pelo ambiente e da educação recebida. Devido às pesquisas mais recentes em neurobiologia e genética, essa visão mudou bastante. Hoje em dia, sabemos que são os genes o fator crucial a determinar a personalidade e a inteligência.

Para ficar mais claro como isso acontece, vamos analisar os traços de personalidade que variam dependendo se a pessoa é introvertida ou extrovertida. Os introvertidos recarregam as energias por meio da solidão; eles se esgotam mais depressa com o contato interpessoal do que os extrovertidos, não precisando tanto desse contato. Se lhes fazemos uma pergunta, eles mergulham em si mesmos para procurar uma resposta e só então falam. Já os extrovertidos conseguem refletir e falar ao mesmo tempo e, por isso, às vezes se surpreendem (para o bem ou para o mal) com o que sai da própria boca. Eles recarregam as energias quando estão em boa companhia e dificilmente gostam de estar sozinhos. Em geral, precisam de uma carga maior de estímulos externos para que seu interesse seja despertado e para que se sintam estimulados de verdade. Já os introvertidos são mais sensíveis aos estímulos externos e logo ficam saturados. Por terem necessidades diferentes em relação ao contato com pessoas, introvertidos e extrovertidos também desenvolvem estilos de trabalho distintos, o que influencia a escolha da carreira. De modo geral, pode-se afirmar que os introvertidos preferem locais de trabalho mais tranquilos, com poucas distrações, onde possam mergulhar em suas atividades por horas a fio. Já os extrovertidos amam o contato com o mundo exterior. Ou eles escolhem uma profissão que preenche essa necessidade de contato, ou então, após uma hora de concentração, precisam de algum contato, com pessoas, seja presencialmente ou on-line, para recarregar as energias. Quando está sozinha, a pessoa extrovertida se sente solitária e entediada mais rápido que a introvertida, independentemente de sua criação ou das influências da infância que marcaram sua criança-sombra e sua criança-sol.

Nossa sensibilidade e nossa predisposição ao medo também se encontram dispostas em nossos genes e influenciam o desenvolvimento da autoestima. Algumas pessoas têm um temperamento inato mais forte. Segundo pesquisas, 10% das crianças chegam a ser "invulneráveis": mesmo que tenham uma infância difícil, saem com a autoestima intacta e sem maiores danos.

Um terceiro elemento a considerar é a dinâmica resultante de como as características da criança se combinam com as dos pais. Os psicólogos falam da adequação *entre pais e filhos*. Por exemplo, se uma criança com sensibilidade elevada inata tem uma mãe com pouca empatia, talvez seja mais afetada do que uma criança que já nasceu "casca-grossa". Da mesma forma, pais de crianças birrentas ou hiperativas têm mais dificuldade em reagir de forma adequada (pedagógica e emocionalmente falando) do que pais de filhos "dóceis".

Por fim, crianças que tendem à hiperatividade têm uma grande dificuldade em controlar toda essa energia extra, o que às vezes gera confusão. Por isso não é raro que professores ou outras crianças expressem que há algo errado com elas. Consequentemente, muitas acabam desenvolvendo baixa autoestima, mesmo que tenham pais amorosos. Afinal, não só os pais influenciam o desenvolvimento da criança, mas também outras pessoas próximas, como colegas de turma, professores e avós.

Isso significa que aquilo que marcou nossa infância e que carregamos conosco para a vida não depende apenas do tipo de educação que recebemos de nossos pais, mas da combinação de uma série de fatores. Ainda assim, a relação com os pais é a base de tudo. Quanto mais vulnerável uma criança se mostrar por causa de problemas em casa, mais suscetível ela vai estar também a ser ferida por outras pessoas. Uma criança com pais atenciosos e empáticos recebe mais ajuda (digamos, se os colegas zombam dela na escola) do que uma criança cujos pais não compreendem o que ela sente.

A criança-sombra e seu sistema de crenças

Se quisermos resolver nossos problemas atuais, precisamos compreender num nível mais profundo no que eles consistem *de fato*. Para tanto, é importante permitir que nossa criança-sombra tenha a chance de falar para conseguirmos reconhecer onde estão nossos pontos fracos, os chamados *gatilhos*. Muitas pessoas não querem entrar em contato com essa parte da própria personalidade. Não querem sentir as mágoas e os medos que guardam em si. Bem compreensível. Afinal, quem quer se sentir triste, angustiado, insignificante ou até mesmo desesperado? Todos nós preferiríamos evitar esses sentimentos na medida do possível e só levar conosco felicidade, alegria e amor. É por isso que muitas pessoas recalcam suas feridas, ou seja, dão as costas para sua criança-sombra quando ela quer falar.

O problema é que a criança-sombra é como uma criança real: quanto menos atenção recebe, mais atenção quer; se lhe damos a atenção devida, ela fica satisfeita e vai brincar sozinha por um tempo. Com a criança-sombra é parecido: quando não deixamos o medo, a vergonha ou a raiva falarem, eles continuam agindo em nosso subconsciente. E lá causam estragos sem que o ego adulto perceba, então acontece o que tantas vezes aconteceu com Miguel: de tempos em tempos, a criança-sombra, recalcada e arisca, surge a todo vapor e descarrega toda a sua raiva em coisas sem importância.

Tanto a literatura de autoajuda quanto a especializada atribuem somente as emoções à parte da personalidade equivalente à criança interior, mas, segundo minha experiência, a criança interior (ambas as suas partes) também é moldada pelas crenças internalizadas, que costumam ser as precursoras das emoções. Como foi dito, por crença entende-se uma convicção profundamente enraizada que diz algo sobre nossa autoestima e nossa relação com outras pessoas. Por exemplo, se uma criança se sente amada e querida pelos pais, ela vai desenvolver crenças como "Sou bem-vinda", "Sou amada", "Sou importante", que fortalecem sua criança-sol. Mas, se os pais forem mais fechados e frios, podem surgir na criança crenças como "Não sou querida", "Sou um fardo", "Sou uma decepção", que moldam sua criança-sombra. Todas essas crenças, embora surjam na infância, criam raízes em nosso subconsciente e ali permanecem na fase adulta, atuando como uma configuração automática que passa despercebida. Elas influenciam de modo significativo nossa maneira de perceber as coisas, de pensar, de sentir e de agir.

Quero voltar mais uma vez ao exemplo de Miguel e Selma para explicar como as crenças podem nos afetar. Vimos que a mãe de Miguel não dava muita atenção a ele nem a seus desejos. Miguel tem dois irmãos mais novos e seus pais eram donos de uma padaria. A mãe simplesmente vivia sobrecarregada e estressada demais para poder dar a devida atenção e consideração a cada filho, e o pai não podia compensar essa falta pois trabalhava sem parar. Em razão da distância física e emocional dos pais, Miguel teve suas necessidades de conexão e autoestima frustradas. Por isso, ele desenvolveu crenças como "Não sou bom o suficiente" e "Não sou importante". Essas crenças ainda hoje marcam, inconscientemente, a percepção dele. Todas as vezes que Miguel se sente invisível, sua criança-sombra faz um escândalo: "Lá vamos nós de novo! Mais uma vez sou ignorado!" São essas crenças as verdadeiras causas das suas explosões de fúria por Selma supostamente não levar seus desejos em consideração.

Quanto a Selma, seus pais cuidaram muito bem dela, mas tinham expectativas muito altas. Eles lhe impunham limites muito rígidos em relação ao que é certo e errado. Selma sentia que os desapontava com frequência, pois eles a criticavam muito mais do que a elogiavam. Assim, sua necessidade de reconhecimento e de autoestima não era respeitada, tampouco sua necessidade de autonomia. Foi por isso que sua criança-sombra internalizou crenças como "Não sou boa o suficiente" ou "Preciso me adequar". Agora ficou mais fácil imaginarmos como a criança-sombra de Miguel e a de Selma interagem. A irritação dele – ou melhor, de sua criança-sombra – e as críticas excessivas aos pequenos esquecimentos de Selma afetam em muito a criança-sombra dela, que, consequentemente, se sente pequena, insignificante e inferior e reage se irritando, chorando e rebatendo as acusações. A tensão aumenta rapidamente.

Nossas crenças são quase como nosso *sistema operacional das emoções*. Pode não parecer, mas seu poder sobre nós é imenso, seja para o bem, seja para o mal, seja sobre nossa criança-sombra, seja sobre nossa criança-sol. *Nossas crenças são as lentes pelas quais enxergamos a realidade.* Por isso é essencial que falemos delas.

A criança-sombra mimada

Mas as crenças negativas não se originam somente da privação, da negligência ou da superproteção. Pais que deixam a criança fazer tudo que quer e a mimam demais podem levá-la a acreditar que tudo tem que acontecer segundo sua vontade e que ela mesma não precisa se esforçar. Em vez de se subestimar, ela superestima a própria importância. Ela parte do princípio de que merece obter tudo que quer e, quando isso não acontece, reage com irritação e mágoa extremas. Crianças que são mimadas desenvolvem baixa tolerância ao sentimento de frustração. Não aguentam ter nem mesmo suas necessidades mínimas não atendidas. Enquanto crianças que cresceram com certas privações têm capacidade de adaptação, crianças mimadas não se desenvolvem tanto nesse sentido. Não aprenderam direito a se adaptar e a se encaixar numa comunidade, pois em casa eram príncipes e princesas. Suas crenças podem soar assim: "Sou muito importante", "Sou sempre bem-vindo", "Eu consigo tudo que quero", "Eu mereço tudo", "Sou mais forte que todos", "Sou o máximo". Por isso, pode ser que no jardim de infância, no colégio ou mais tarde, na vida adulta, encontrem dificuldade em se adaptar e tenham tendência a gerar conflitos. Elas primeiramente precisam aprender que, na vida, nada vem de graça e que terão que se esforçar. Isso pode ocasionar deslizes durante a formação ou levar à desistência. Em casos mais leves, elas até conseguem se encaixar bem numa comunidade e se mostram bem capazes, mas não sabem perder. Numa relação amorosa, por exemplo, uma rejeição pode levar essas pessoas a entrar em desespero, pois não estão acostumadas a não conseguir o que desejam.

Criticar os pais? Não é tão fácil assim!

Ao analisar nossa infância e nossos pais, muitos de nós relutamos em responsabilizá-los pelos nossos problemas. Vejo muitos clientes que entram num conflito de lealdade quando precisam observar os pais de um ângulo crítico. Eles os amam e lhes são gratos por muitas coisas. Sentem-se culpados quando devem me contar sobre comportamentos que talvez não tenham sido tão positivos. Sentem que os estão traindo de alguma forma.

Quero ressaltar aqui que o objetivo nesse tipo de reflexão não é desmerecer os esforços dos pais e declará-los culpados por todos os problemas na vida adulta, mas desenvolver uma compreensão mais profunda das influências que levamos conosco. Assim, não se trata somente dos aspectos ruins, mas também das influências positivas que tivemos de nossos pais.

Além disso, devemos ter sempre em mente que nossos pais também foram influenciados pelos próprios pais e que, no fim das contas, também são vítimas da criação que receberam. Meus pais, por exemplo, foram muito amorosos. Minha vinda ao mundo foi desejada e planejada e minhas lembranças da infância são em sua maioria felizes. Mas minha mãe não admitia sentimentos de fraqueza. Ela era a mais velha de nove filhos e, quando tinha 11 anos, eclodiu a Segunda Guerra Mundial. Não havia muito espaço para demonstrar fraqueza. Ela precisava se manter funcional. E, já que não conseguia lidar muito bem com os próprios sentimentos de tristeza, por exemplo, ela às vezes não sabia o que fazer quando eu estava triste. Por isso surgiram em mim crenças como: "Tenho que ser forte" e "Chorar é vergonhoso". Bons pais também falham.

Outra questão importante envolve o tipo de modelo fornecido pelos pais. Por exemplo, digamos que uma menina tenha uma mãe muito amorosa, mas um pouco fraca, que procura sempre se submeter ao pai dominante. Caso se identifique com a mãe, essa menina pode desenvolver crenças como "Mulheres são fracas", "Preciso me adequar", "Não posso dizer não". Ou então, em um movimento de rejeição à mãe, pode desenvolver crenças como "Tenho que me defender", "Jamais devo me submeter", "Homens são perigosos".

As regras e os valores que figuravam dentro de casa na infância também desempenham um papel importante. Crescer num lar amoroso mas com regras muito rígidas em relação à sexualidade pode marcar a criança de modo que ela mais tarde tenha graves problemas para desenvolver uma relação natural com seu corpo e sua sexualidade. Ou seja, mesmo quem tem muito a agradecer aos pais também certamente desenvolveu uma ou outra crença que lhe causa problemas hoje em dia.

Para algumas pessoas, no entanto, é extremamente difícil formar uma imagem realista dos pais. Esse pode ser o caso quando, por exemplo, a imagem que se tem de um se turvou pela manipulação pelo outro. Quando uma mãe desabafa com muita frequência no ombro da criança sobre o "pai que não presta", a criança passa a enxergar o pai pelos olhos da mãe. Em meus longos anos como perita de vara de família, aprendi que tais influências podem ser tão duradouras que essas crianças têm um relacionamento ruim com o pai durante toda a vida ou até o evitam. O mesmo se aplica à situação inversa, quando é o pai que se queixa da mãe.

Existe também outro fator que explica essa dificuldade para formar uma imagem realista dos próprios pais, e está ligado à nossa tendência de idealizar nossos pais quando crianças. Quando pequenos, somos existencialmente programados para confiar nos nossos pais e vê-los como bons e corretos. É *necessário* que as crianças idealizem os pais, porque senão sentiriam o medo avassalador de estarem à mercê de cuidadores imperfeitos ou até mesmo maus. Algumas pessoas levam essa imagem idealizada para a vida adulta, o que pode dificultar a formação de uma imagem realista sobre os pais que possa expor de maneira fiel seus pontos fracos e fortes. Se eu, como adulta, enxergo meus pais através das lentes da idealização, não consigo me desprender deles de forma saudável. E, se não consigo me desprender, é difícil trilhar um caminho próprio nesta vida. Se quero me reconhecer – e esse reconhecimento é a base para o desenvolvimento pessoal –, é importante que eu forme uma imagem realista sobre mim e sobre meus pais. Uma imagem realista não impede que tenhamos um carinho profundo por eles. Posso amar meus pais e valorizá-los pelas pessoas que foram e são. Para isso, eles não precisam ser perfeitos e infalíveis. É assim com toda forma de amor: se só posso amar o que é perfeito, então não é amor.

UMA OBSERVAÇÃO: A CAUSA DO MAU HUMOR PODE SER GENÉTICA

Algumas poucas experiências negativas bastam para deixar marcas profundas em nossa mente. Infelizmente, isso não acontece com as influências positivas, pois fomos geneticamente concebidos para atentar mais às notícias ruins do que às boas e porque nossa capacidade de memorizá-las é bem maior. O motivo por trás disso é que, para nossa sobrevivência, atentar aos perigos é muito mais importante do que às coisas que estão indo bem. Se uma família da Idade da Pedra estivesse entretida com algum jogo e um tigre-dentes-de-sabre surgisse de repente, seria essencial para a sobrevivência deles que as sensações de prazer associadas ao jogo cedessem de imediato ao medo. O cérebro teve que alternar instantaneamente de uma corrente de alegria para uma corrente de medo para que a família conseguisse fugir. Também era essencial, para os primeiros humanos, lembrar quais plantas eram venenosas e quais não eram. Erros podiam (e ainda podem) ser fatais. É por isso que nosso cérebro foi programado para registrar erros e perdas. Muitas vezes, isso significa que acabamos reparando somente nos defeitos, principalmente quando agimos no modo criança-sombra.

Isso explica também por que nos lembramos mais dos eventos dolorosos que dos felizes. Podemos nos envergonhar de uma situação embaraçosa anos depois, como se tivesse acontecido ontem, enquanto a alegria que sentimos por um acontecimento bom desaparece logo. Outro efeito colateral muito ruim de nossa genética é que uma única experiência negativa com uma pessoa pode anular centenas de experiências positivas. Sendo assim, da próxima vez que você se irritar com alguém, seja um amigo ou outra pessoa, tente se lembrar de todas as coisas boas que vocês dois já vivenciaram antes de dar vazão ao ressentimento.

CAPÍTULO 8

COMO NOSSAS CRENÇAS INFLUENCIAM NOSSA PERCEPÇÃO

Antes de mostrar a você como identificar suas crenças pessoais, quero lhe explicar como nossas crenças influenciam fortemente nossa vida.

Nossas crenças profundas e inconscientes são os filtros da nossa *percepção*, como constatamos no caso de Miguel e Selma. A percepção que temos sobre determinada situação influencia nossa maneira de sentir, de pensar e de agir, mas em uma via de mão dupla, pois nossos pensamentos e sentimentos também influenciam nossa percepção. Sendo assim, é possível que uma pessoa que eu perceba como superior desencadeie em mim sentimentos de inferioridade. No entanto, se estou tendo um ótimo dia, me sentindo forte e bem-sucedida, posso perceber essa mesma pessoa de forma diferente, vendo-a de igual para igual ou até como inferior.

Quanto mais consciência temos de todos esses processos e conexões, mais facilmente conseguimos mudar nossos pontos de vista, nossos sentimentos e, por fim, nosso comportamento. Mas, para isso, é essencial nos distanciarmos emocionalmente do problema. Enquanto nos identificarmos totalmente com nosso problema – ou seja, com as crenças, os sentimentos e os pensamentos negativos que o constituem –, esse problema vai continuar sendo uma realidade enraizada da qual não conseguimos nos libertar.

Vou explicar isso usando Selma como exemplo desta vez. Quando Miguel tem acessos de raiva, ela inconscientemente adota a percepção de sua criança-sombra, vendo Miguel como uma pessoa maior que ela e com poder de julgá-la e de mandar nela. Sem que Selma perceba, a criança-sombra dentro dela projeta em Miguel a figura de um pai autoritário e superior. Com as crenças de "Não sou boa o suficiente" e "Preciso me adequar", sua criança-sombra se sente pequena e sem valor. Como Selma se identifica com sua criança-sombra nessa situação, é *ela* quem se sente inteiramente pequena e inútil. A crítica de Miguel joga sal na ferida aberta da sua autoestima fragilizada.

Se permanecesse no modo de seu ego adulto ou de sua criança-sol, Selma ficaria em pé de igualdade com Miguel. Conseguiria perceber que o marido está agindo no modo criança-sombra e que sua raiva, no fundo, não tem nada a ver com ela. Nesse caso, o acesso de raiva de Miguel não desencadearia nela um sentimento de inutilidade e ela conseguiria se manter tranquila. O comportamento imaturo de Miguel talvez até a aborrecesse, mas, desde que ela se mantivesse tranquila e não embarcasse na discussão, ele se acalmaria rapidamente. E, a partir do momento em que se acalmasse e alternasse para o modo adulto, ele mesmo reconheceria sem demora que exagerou e também estaria pronto para pedir desculpas. Resumindo: se Selma se mantivesse tranquila, a raiva de Miguel passaria em menos de cinco minutos.

Neste momento, você deve estar pensando: "Mas se é Miguel quem está agindo mal, por que é Selma quem deve se controlar?" Essa é a clássica questão da culpa com que volta e meia me deparo em minha prática clínica, principalmente em sessões de terapia de casal. Um parceiro espera que o outro mude porque é "óbvio" que o problema X sempre ressurge por causa dele. Selma também poderia adotar essa postura. Mas o fato é que ela não tem como fazer Miguel mudar seu comportamento. O máximo que ela pode fazer é pedir ou pressioná-lo, mas, no fim das contas, o resultado desejado não está em suas mãos. *A única pessoa que podemos influenciar diretamente somos nós mesmos.* Portanto, se quiser mudar a situação de forma *ativa*, Selma vai precisar trabalhar seu lado das coisas.

CAPÍTULO 9

NÓS NOS AGARRAMOS ÀS EXPERIÊNCIAS DA INFÂNCIA

Não há exagero em afirmar que é gigantesca a extensão dessas influências, bem como a dificuldade que temos para perceber quando nossas ações partem da criança-sombra. Todos os dias vejo pessoas que, embora compreendam claramente as influências que moldaram seu ego adulto, continuam reféns de sua configuração automática. A *experiência* que tiveram com os pais na infância simplesmente parece muito mais real que qualquer tipo de lógica.

Percebi a que ponto isso pode chegar ao atender uma cliente de 58 anos. Quando era criança, B. foi abusada sexualmente por um vizinho. Na época, ela contou o ocorrido à mãe, que se recusou a acreditar nela e a orientou a ser "educada" com o homem "mesmo assim". B. ficou traumatizada pela combinação de abuso e conivência. Algumas de suas crenças eram "Ninguém me protege" e "Homens são perigosos". Quando adulta, ela sentia pânico diante de homens, o que prejudicou sua vida pessoal e profissional. Antes de me procurar, B. fazia psicoterapia havia dez anos, inclusive terapia especializada em trauma, e já conseguia manter muitos de seus problemas sob controle. Mas ela não perdera o medo dos homens, mesmo tendo trabalhado nisso durante todos os anos de terapia. Comigo ela também não conseguia avançar nisso. Então aconteceu algo que me impressionou: numa sessão, de repente, se tornou claro para a criança-sombra dela que a situação já tinha passado, que o criminoso já estava morto havia muito tempo, que ela já era adulta e que nem todos os homens são estupradores. Fiquei pasma. Durante todo aquele tempo, eu presumi que ela já soubesse de tudo isso. Afinal, eram fatos consumados, sobre os quais já tínhamos conversado inúmeras vezes e nos quais já tínhamos trabalhado em várias sessões. Mas, na realidade, isso só tinha atingido seu adulto interior, enquanto sua criança-sombra ainda vivia numa realidade de 50 anos antes. Foi somente nesse dia que a criança-sombra finalmente também entendeu que tudo isso havia ficado para trás e que ela não precisava mais ter medo. Depois dessa sessão, B. ficou praticamente curada.

Assim como a criança-sombra dentro de B., as crianças interiores de cada um de nós também vivem na realidade da infância. Isso também se aplica àquelas pessoas que adquiriram confiança básica por terem sofrido influências positivas na infância e cuja criança-sol, portanto, se desenvolveu bem. Essas pessoas projetam suas experiências positivas no mundo e nas outras pessoas, o que torna a vida delas mais leve. No entanto, por causa dessas projeções extremamente positivas da infância, elas podem ser crédulas e ingênuas demais. Adultos que tiveram uma infância feliz precisam aprender primeiro que o mundo lá fora nem sempre é tão bonzinho como papai e mamãe foram, e isso é algo doloroso. Mas, como dispõem de uma boa autoestima e costumam agir no modo criança-sol, em geral conseguem administrar bem o choque de realidade. A criança-sombra é a que causa maiores problemas, dirigindo muita negatividade ao mundo e a si própria. É por isso que quero falar mais um pouco sobre ela.

CAPÍTULO 10

A CRIANÇA-SOMBRA E SUAS CRENÇAS: SENTIMENTOS RUINS NUM PISCAR DE OLHOS

Já entendemos que as crenças da nossa criança-sombra nos causam muitos problemas porque influenciam de forma significativa nossa percepção, que, por sua vez, influencia de forma significativa nossos sentimentos, e vice-versa.

Quando Miguel e Selma estão no modo criança-sombra e começam a brigar, estão sendo guiados pelos sentimentos negativos. Esses sentimentos surgem num piscar de olhos em resposta a suas crenças, que também influenciam a maneira como percebem e interpretam a realidade. Ou seja, quando Selma esquece de comprar o refrigerante que o marido pediu, a criança-sombra dentro dele, motivada por suas crenças ("Nunca sou atendido" e "Não sou importante"), interpreta a situação da seguinte maneira: "Selma não me ama e não leva os meus desejos a sério." É assim que ele percebe o ocorrido, e, em frações de segundo, essa percepção o faz se sentir magoado. A mágoa então é convertida em raiva e assim começa a briga.

Miguel não está ciente desse encadeamento de *crença → interpretação da realidade → sentimentos → ação*. Sua tomada de consciência só acontece no momento da raiva, mas o que desencadeou isso tudo permanece oculto. Ele não tem consciência de suas crenças, tampouco percebe que sua raiva é precedida pela mágoa. E é aqui que reside o problema: determinadas situações e interações podem, num piscar de olhos, desencadear sentimentos que praticamente nos "sequestram" e controlam nossos pensamentos e nossas ações. Esses sentimentos incluem raiva, tristeza, solidão, medo, inveja, mas também alegria, felicidade e amor. A ausência de sentimentos, isto é, a sensação de um vazio interior que surge em determinadas situações, também pode ser consequência desse mecanismo. Sobretudo sentimentos negativos, como raiva, medo, tristeza ou inveja, podem se tornar um grande peso para nós e para nossos relacionamentos.

Você poderia argumentar que também existem sentimentos de raiva e de tristeza que se justificam e que se devem a circunstâncias externas, não a feridas da criança-sombra. Exemplos disso são a tristeza pela morte de um ente querido ou a raiva quando sofremos uma injustiça. E você teria toda a razão nessa objeção. Nem tudo que sentimos tem a ver com nossa criança-sombra ou nossa criança-sol. A questão é que esses sentimentos geralmente não nos causam muitos problemas. Se uma pessoa querida morre, ficamos tristes e pronto. Não há envolvimento com outras pessoas nem reações inesperadas. O mesmo se aplica a diversos sentimentos positivos. Se algo nos alegra, então ficamos felizes. Todo mundo experimenta essas emoções sem maiores consequências.

Os sentimentos que causam maiores problemas a nós e a nossos relacionamentos são aqueles que surgem da criança-sombra, dos quais não tomamos consciência e que, assim, nos fazem agir sem pensar. Se quiser resolver seus problemas, é aí que você precisa agir.

CAPÍTULO 11

A CRIANÇA-SOMBRA, O ADULTO E A AUTOESTIMA

A criança interior e suas crenças constituem, por assim dizer, a central das emoções da nossa autoestima. Crenças como "Eu tenho valor" ou "Não tenho valor" nos informam, num nível profundo, se somos ou não queridos neste mundo. Em essência, tudo depende do nosso estado emocional; é o que nos eleva ou nos rebaixa. A confiança básica e a desconfiança básica são sentimentos profundos que se encontram armazenados na memória corporal. Não costumamos senti-los de forma consciente, mas eles são facilmente acessados. Sobretudo pessoas que não têm confiança básica podem se sentir inseguras e insignificantes rapidamente, pois agem mais no modo criança-sombra. Já as pessoas com muitas crenças positivas, ou seja, que dispõem de confiança básica e de uma autoestima relativamente intacta, sentem num nível profundo que estão bem do jeito que são. Elas agem mais no modo criança-sol. Mas isso não quer dizer que elas não duvidem de si mesmas e não se sintam inseguras de vez em quando, isto é, que sua criança-sombra não esteja ativa. A diferença é que elas conseguem superar essas fases com mais facilidade, porque a criança-sol delas, com suas crenças e seus sentimentos positivos, é mais forte que a criança-sombra. Em outras palavras: suas feridas saram com o tempo, enquanto pessoas inseguras carregam feridas abertas, que ao menor dos toques já começam a arder.

A parte "pensada" da nossa autoestima é a razão, o adulto interior. É com ela que entendemos, por exemplo, que já alcançamos muitas coisas na vida, que podemos nos orgulhar de nós mesmos e que *estamos* bem, mesmo que a criança-sombra em nós se sinta pequena. Quando trabalho a autoestima com meus clientes, muitas vezes eles fazem o mesmo comentário: "Sim, eu sei que deveria estar satisfeito comigo mesmo, mas, no fundo, simplesmente não me sinto assim." Há também aqueles que se identificam totalmente com sua criança-sombra: não apenas sentem como também pensam que são insuficientes e mesmo com a ajuda de sua mente adulta não conseguem se desprender desse sentimento. E há ainda aqueles que acham que não têm problemas de autoestima. Estão obstinados no racional e recalcaram sua criança-sombra. Miguel é desse tipo. Quando lhe perguntamos sobre sua autoestima, ele responde que não tem problemas com isso. Ele esconde sua vulnerabilidade. Selma, por outro lado, está sempre pensando nos próprios defeitos, sejam reais ou imaginários, e sabe que tem autoestima frágil.

Todos nós sabemos que o pensamento e o sentimento podem contradizer um ao outro. Acontece toda hora. Quantas vezes você já falou "Eu sei que... mas não consigo mudar"? Por exemplo, o adulto interior, inteligente que é, sabe muito bem que deveria manter uma alimentação saudável, mas muitas vezes é ignorado quando a criança interior está louca por doces. Quando o vício em comida ou outras substâncias está envolvido, é especialmente difícil controlar o desejo e manter a força de vontade e a razão – isto é, deixar o ego adulto agir.

A criança-sombra e o adulto interior não necessariamente concordam um com o outro, seja no que se refere à autoestima ou a outras questões. Muitas pessoas percebem que sua criança-sombra (com seus sentimentos intensos) prevalece sobre seus pensamentos, sentimentos e ações. No entanto, quanto mais adquirimos consciência da influência que sofremos da criança-sombra, maiores são as chances de que o adulto interior consiga domar a criança interior e recuperar o controle – ou alternar deliberadamente para o modo criança-sol.

CAPÍTULO 12

DESCUBRA SUA CRIANÇA-SOMBRA

Nas próximas páginas vamos descobrir sua criança-sombra. Já deve ter ficado claro que esse é um passo crucial para que você consiga mudar suas configurações e aqueles comportamentos que vivem lhe causando problemas. Ou seja, tudo se resume a reconhecer suas influências negativas. Depois vamos falar sobre suas influências positivas e sua criança-sol.

Sei que estou exigindo muito ao pedir que você discorra sobre sua criança-sombra e seus sentimentos angustiantes quando ainda nem chegamos à metade do livro. Não poderíamos exercitar primeiro a criança-sol, para que você tenha uma base forte e recursos suficientes para poder encarar seus problemas? É que faz parte da "psico-lógica" do conceito geral partir da criança-sombra e só então avançar para a criança-sol, não o contrário. Quando conhecemos e compreendemos nossa criança-sombra, temos a chance de promover nossa criança-sol para que ela possa guiar e aplacar de forma amorosa nossa criança-sombra.

Exercício: Identifique suas crenças

Para este exercício você vai precisar de uma folha A4. Na parte interna da capa do livro há um exemplo que pode ser útil. Você pode se guiar por ele. Nas páginas 237 e 239 há um modelo "limpo" da criança-sombra e da criança-sol respectivamente.

Comece desenhando uma figura do gênero com que você se identifica.

Essa figura representa sua criança-sombra. Nos dois lados da cabeça, escreva "mamãe" (à direita) e "papai" (à esquerda) ou como quer que você os chamasse na infância. Se você não foi criado por seus pais, escreva os nomes de seus cuidadores ou como quer que você os chamasse. O importante é incluir as pessoas que foram sua principal referência nos seus primeiros seis anos de vida. Recomendo que você faça do modo mais simples, limitando-se às pessoas que realmente foram as mais próximas, sem incluir toda a sua família.

1. Pense em uma situação que você tenha vivenciado com sua mãe ou seu pai (ou outro cuidador) na infância e que você tenha achado muito ruim. Talvez você tenha se sentido invisível, magoado ou humilhado, seja porque essa pessoa não esteve ao seu lado quando você precisou dela, seja porque você sentiu de alguma maneira que seus desejos e suas necessidades não foram percebidos ou levados a sério.

2. Agora, pensando nessa situação, defina algumas palavras-chave. Como seu pai/mãe/cuidador agiu? (Falaremos sobre as características positivas mais adiante, quando tratarmos da criança-sol).

    Algumas palavras que você pode usar para caracterizar esse modo de agir negativo do seu pai/mãe/cuidador: frio, implicante, exagerado, carente, superprotetor, indiferente, fraco, permissivo, submisso, incoerente, dependente, egocêntrico, desequilibrado, mal-humorado, imprevisível, controlador, medroso, pretensioso, arrogante, inflexível, incompreensivo, pouco empático, ausente, escandaloso, agressivo, sádico, despreparado.

3. Agora procure identificar se você tinha um determinado papel a desempenhar na família. Esse papel costuma ser uma espécie de dever implícito. Muitas crianças, por exemplo, sentem que devem ser o orgulho da família. Outras sentem que devem atuar como mediador entre o pai e a mãe. Outras, ainda, se sentem na obrigação de ser a confidente da mãe ou sentem que têm a função de fazer os pais felizes, etc. Pense novamente em determinadas situações que tenham acontecido na infância e nas quais você não tenha se sentido muito bem e reflita sobre o papel que foi delegado a você.

4. Você pode escrever também frases negativas que seus pais ou cuidadores diziam. Por exemplo: "Você é igualzinho a seu tio Zé", "Você só sabe falar e não faz nada", "Por sua causa eu sou infeliz", "Espera só seu pai chegar em casa", "Olha só como Fulano é esforçado, totalmente diferente de você", "Você nunca vai ser alguém na vida". Anote tudo isso junto dos respectivos cuidadores.

   Em seguida, trace uma linha ligando "mãe" e "pai", ou os nomes dos seus cuidadores, passando por cima da sua cabeça e escreva nela quais foram os aspectos mais difíceis do relacionamento deles. Digamos: "Brigavam muito", "Quase não se falavam", "Mamãe era quem mandava", "Se separaram".

5. Com tudo isso anotado, mergulhe em si mesmo e faça contato com sua criança-sombra permitindo-se sentir bem lá no fundo o que o comportamento de seus pais ou cuidadores suscita em você. Trate de descobrir suas convicções mais profundas que assumem a forma de crenças negativas. Quais convicções negativas o comportamento dos seus pais suscitou em você durante sua infância? Não se trata das convicções que seus pais *queriam* incutir em você, mas daquelas às quais você chegou por conta própria quando era criança. Como eu disse, crianças quase não conseguem se distanciar e observar o comportamento dos pais de forma crítica e associam o comportamento deles a si próprias, seja ele bom ou mau: se a mãe em geral é boazinha e está sempre bem-humorada, a criança entende que a mãe está contente com ela e lhe quer bem. Se a mãe em geral é estressada e irritada, a criança entende que é um peso para ela. Na maioria dos casos, a criança de alguma maneira sente que é responsável pelo humor da mãe (ou dos pais ou cuidadores), e é a partir daí que ela desenvolve suas crenças internas.

A seguir há uma lista de frases que podem ajudar você a descobrir suas crenças pessoais. Há muitas outras possibilidades que não estão na lista; ela deve servir somente como fonte de inspiração para que você consiga descobrir as próprias crenças. Como eu disse, o primeiro passo é se concentrar nas crenças negativas. As boas vão vir depois.

É importante que as crenças sejam formuladas assim: "Eu sou ___" ou "Eu não sou ___"; "Eu consigo ___" ou "Eu não consigo ___"; "Eu posso ___" ou "Eu não posso ___"; etc. Mas elas também podem expressar suposições gerais sobre a vida, como, por exemplo, "Homens são fracos", "Relacionamentos amorosos são perigosos", "Toda discussão leva a separação".

"Estou triste" *não* expressa uma crença. Tristeza é um sentimento que pode resultar de uma crença tal como "Eu não tenho valor". Por isso, sentimentos como tristeza, medo, alegria, etc. não expressam crenças. O mesmo se aplica a intenções, como, por exemplo, "Quero ser perfeito". Na maioria das vezes, essas intenções são defesas contra as crenças que estão por trás delas, como "Não sou bom o bastante".

Veja a seguir alguns exemplos de crenças. É uma lista que visa estimular você na busca pelas próprias crenças negativas. Geralmente, aquelas que surgem de forma espontânea são as que estão corretas. Ao ler a lista, repare no que está sentindo: quais crenças suscitam algo em você? Você provavelmente já ouviu algumas destas provocações vindas de fora, como "Você sempre cede rápido demais" ou "Você sempre quer agradar todo mundo".

Crenças negativas que afetam diretamente minha autoestima

Não tenho valor.	Sou muito burro.
Não sou querido.	Não sou importante.
Não sou desejado.	Não consigo fazer nada.
Não mereço ser amado.	Não posso sentir.
Sou uma pessoa ruim.	Nunca sou atendido.
Sou feio.	Sou um ninguém.
Não sou bom o suficiente.	Sou um fracasso.
A culpa é sempre minha.	Sou todo errado.
Sou insignificante.	Etc.

Crenças negativas quanto à minha relação com meus pais/cuidadores

Sou um fardo.

Você depende de mim para se sentir bem.

Não posso confiar em você.

Preciso ter sempre o pé atrás com você.

Preciso considerar seus sentimentos acima de tudo.

Sou inferior a você.

Preciso cuidar de você.

Sou mais forte que você.

Sou impotente.

Sou indefeso.

Estou à sua mercê.

Você não me ama.

Você me odeia.

Sou uma decepção para você.

Sou indesejado.

Etc.

Crenças negativas que representam uma solução (estratégia de autoproteção) para meu problema com meus pais/cuidadores

Tenho que ser bonzinho e obedecer.

Não devo me defender.

Tenho que fazer tudo certo!

Não devo ter vontade própria.

Preciso me adequar.

Tenho que fazer tudo sozinho.

Tenho que ser forte.

Não posso demonstrar fraqueza.

Tenho que ser o melhor.

Tenho que tirar boas notas.

Tenho que ficar ao seu lado para sempre.

Tenho que atender às suas expectativas.

Não posso me desligar de você.

Etc.

Crenças negativas gerais

Mulheres são fracas.

Homens são maus.

O mundo é ruim/perigoso.

Nada é de graça nessa vida.

Nada nunca vai dar certo.

Falar não adianta nada.

Confiar é bom, ter controle é melhor.

Etc.

Anote essas crenças na barriga do seu desenho (observe a ilustração na parte interna da capa do livro).

As crenças negativas são as causas de todos os seus problemas, exceto aqueles provocados por algum golpe do destino. Ou seja, se você tem um problema no trabalho, em seu relacionamento ou em seu estilo de vida, ou se você sofre de ansiedade, depressão ou alguma compulsão, a verdadeira causa está nas suas crenças. Elas são o erro em seu sistema operacional. E, por mais específicos e complicados que pareçam à primeira vista, quando você observar seus problemas mais de perto, verá que todos podem ser reduzidos à mesma estrutura básica. O objetivo deste livro é ensinar a reconhecer e mudar essa estrutura.

Depois que você anotar suas crenças negativas – escreva quantas quiser –, avançaremos para o próximo passo.

Exercício: Sinta sua criança-sombra

A ideia deste exercício é procurar sentir de forma consciente o que suas crenças negativas suscitam em você. Afinal, são esses os sentimentos que de uma hora para outra nos metem em grandes enrascadas emocionais. Isso significa que, quando você estiver agindo no modo criança-sombra e uma crença como "Nunca vou conseguir fazer isso!" estiver ativada em você, o sentimento correspondente a essa crença vai puxá-lo para baixo. Quanto mais rápidos e melhores formos em reconhecer os sentimentos que nos tomam, melhor vamos conseguir controlá-los ou fazer com que apareçam com menos frequência.

Todos os nossos sentimentos – alegria, amor, vergonha, angústia, tristeza, etc. – se expressam em nosso corpo em alguma medida. Você certamente já passou pela experiência de o coração acelerar, os joelhos ficarem bambos e as mãos tremerem quando ficou com medo. Outros sentimentos menos intensos que o medo também se revelam por sensações físicas, pois, do contrário, não seríamos capazes de percebê-los. Muitas pessoas sentem o luto, por exemplo, como um nó na garganta e um aperto no peito. Já a alegria é sentida como uma espécie de formigamento. É assim que cada sentimento se traduz no corpo, mesmo que muitas vezes não percebamos de forma tão consciente, já que não estamos acostumados a prestar atenção nessas sensações. Você pode perceber isso agora mesmo, basta se lembrar de algum acontecimento muito bom, uma situação na qual se sentiu feliz. Feche os olhos e mergulhe nessa lembrança, revivendo-a com todos os seus sentidos (visão, audição, olfato, paladar, tato). Então perceba o que essa lembrança suscita em sua barriga e em seu peito. Estou me referindo a sensações como calor no peito, frio na barriga ou o coração batendo mais forte.

Descubra suas crenças fundamentais

Pegue novamente a lista com suas crenças e leia frase por frase, melhor ainda se for em voz alta. Identifique até três frases que mais afetam você e mais puxam você para baixo. Essas são suas *crenças fundamentais*. Outra forma de descobri-las é pensar nas situações que mais lhe causam irritação, mágoa ou arrependimento. Digamos que perguntássemos a Miguel "Em quais situações você perde o controle e depois se envergonha?" e "Qual é o pensamento que faz você perder o controle?". Ele responderia rapidamente: "Ela não me leva a sério!" E assim saberíamos sua crença fundamental.

As crenças fundamentais são as mais importantes (pode ser apenas uma). As outras crenças costumam ser variações delas.

Depois de identificar essa(s) crença(s), feche os olhos e se concentre em sua barriga e em seu peito. Perceba qual(is) sentimento(s) essas crenças provocam dentro de você. Procure sensações que se expressam no corpo por meio de pressão, calafrios, formigamento, aceleração do batimento cardíaco, etc.

É provável que estejam surgindo sentimentos muito familiares. E talvez você sinta que, assim como Miguel e Selma, recai repetidas vezes nesse estado emocional que faz com que você bloqueie, enlouqueça, fracasse, fuja, etc. Ao refletir sobre tudo isso, é bem provável que você se sinta mal e triste, porque está realmente adquirindo consciência de todas as suas influências negativas. Permita que esses sentimentos o alcancem. Eles são importantes para o processo de cura. Basta senti-los um instante para que você os reconheça e então pode deixá-los passar. A ideia de que precisamos esgotar nossos sentimentos para conseguir modificá-los provou ser falsa. Pelo contrário: não é bom mergulhar em estados emocionais negativos por tempo demais.

O motivo de eu pedir a você que embarque nesse sentimento é, primeiro, para que você adquira consciência sobre ele e consiga perceber o mais rápido possível quando estiver escorregando para dentro desse estado emocional. Quanto antes flagrarmos esses sentimentos vindo à tona, melhor vamos conseguir controlá-los. No entanto, se você já estiver bufando de raiva ou o desespero for grande, saiba que esses sentimentos intensos quase não se deixam guiar. O diagnóstico precoce é o pai de todas as medidas preventivas, não só na medicina como na psicologia.

Anote na barriga do desenho da sua criança os sentimentos que você perceber ao realizar este exercício (observe a ilustração na parte interna da capa).

Como desembarcar de sentimentos negativos

Caso você tenha dificuldade para desembarcar desse sentimento, tente se distrair com outras coisas. Por mais banal que pareça, a distração é um dos métodos mais eficazes para sair de estados emocionais negativos, pois o cérebro não tem a capacidade de fazer várias coisas ao mesmo tempo. Quando você está concentrado numa outra coisa, não é possível sentir dor ao mesmo tempo. Tente se obrigar a prestar atenção no ambiente ao seu redor. Por exemplo, conte 10 objetos azuis ou 10 objetos vermelhos ou pense para cada letra do alfabeto em um país cujo nome comece com essa letra.

Outra opção para enxotar os sentimentos ruins é se movimentar. Ou dar tapinhas no próprio corpo, ou apenas pular. Nosso corpo e nossos sentimentos estão profundamente ligados. Podemos influenciar nossos sentimentos por meio de nossa postura e de atividade física. Vou retomar esse assunto mais vezes.

Um outro exercício que pode ser útil para regular as emoções é se concentrar plenamente no aspecto físico do seu sentimento. Ao sentir medo, por exemplo, repare: "Meu coração está batendo mais forte." Ou, se estiver de luto: "Estou sentindo um aperto no peito." Depois, expulse da cabeça todas as lembranças que pertencem a esse sentimento. Elimine-as. Apague-as. Concentre-se somente nas sensações físicas e fique nelas. Você vai ver, ou melhor, vai sentir como os sentimentos rapidamente se dissolvem. Com esse pequeno exercício de percepção você pode controlar todos os seus sentimentos, até mesmo a dor de um coração partido.

É possível que você não tenha sentido nada ao se aprofundar em suas crenças negativas. Talvez porque estivesse um pouco desconcentrado ou então bloqueado. Nesse caso, refaça o exercício em outro momento. Algumas pessoas precisam repeti-lo várias vezes até conseguir sentir alguma coisa. Também é possível que você tenha uma dificuldade de conexão com os próprios sentimentos. É sobre isso que vou falar nas próximas páginas.

Exercício: A ponte afetiva

A "ponte dos sentimentos", ou "ponte afetiva" (termo cunhado por John Watkins), é mais um exercício que nos ajuda a entender como sentimentos que pertencem ao passado insistem em invadir nosso presente e perturbá-lo.

1. Para começar, evoque uma situação típica de sua vida adulta à qual se aplique uma de suas crenças fundamentais (ou outra crença importante) – uma situação na qual você sempre acabe ficando preso (com pequenas variações de lugar ou de modo de agir) e na qual você experimente essa crença negativa como uma verdade. Por exemplo, uma situação em que você se sinta rejeitado e que confirme sua crença "Não sou uma pessoa interessante". Ou uma situação em que você sinta que não foi respeitado e que ative a crença "Sou insignificante".
2. Use todo o poder da sua imaginação e todos os seus sentidos para se colocar na situação escolhida. Se tiver sido muito dolorosa a ponto de você não querer revivê-la, basta que a imagine com um pouco de distanciamento interior ou só uma parte do que aconteceu. O importante é que você consiga evocar o sentimento associado a essa situação e que se permita senti-lo, mesmo que em uma forma menos intensa.
3. Com o sentimento instaurado (medo ou tristeza, por exemplo), você viaja para um passado ainda mais longínquo, na verdade para as suas lembranças mais antigas. Tente determinar há quanto tempo você conhece esse sentimento e qual situação (ou quais situações) o fez nascer dentro de você. Analise quais atitudes de seus pais ou de outras pessoas fizeram com que você se sentisse assim.

O objetivo desses dois últimos exercícios é adquirir uma compreensão profunda dos próprios padrões e influências da infância para que eles não sejam sempre vivenciados no modo automático, como acontece com Miguel e Selma, e sim para que você tenha a oportunidade de controlá-los. Quanto mais consciência você tiver, mais rápido vai conseguir reconhecê-los e tomar as devidas providências.

Uma observação: pessoas que reprimem e pessoas que não sentem

As pessoas com bom acesso aos próprios sentimentos têm muito mais facilidade para refletir sobre si mesmas e resolver seus problemas do que aquelas que os reprimem. E quem reprime os sentimentos e não reflete sobre seus processos emocionais evita refletir sobre si e sobre sua vida, em geral por um medo inconsciente de que uma enxurrada de sentimentos negativos venha à tona. Ou seja, habitualmente desvia o olhar de si mesmo. Já outras pessoas até pensam muito sobre si mesmas, mas não têm acesso ao mundo emocional de sua criança-sombra, pois ficam presas a teorias.

Seja por sua natureza ou por fatores culturais, os homens costumam se identificar mais com a racionalidade, negligenciando os sentimentos. Isso não se aplica a todos, é claro, e também existem mulheres não muito conectadas com seu lado emocional, mas reprimir sentimentos associados a "fraqueza", como tristeza, desamparo e medo, é uma tendência mais masculina do que feminina. Por outro lado, a maioria dos homens percebe muito bem sentimentos associados a "força", como alegria e raiva. É assim com Miguel. Ele não percebe a mágoa – um "sentimento de fraqueza" – que sentiu com o esquecimento de Selma, mas sente a raiva, que é apenas consequência da autoestima ferida. A raiva aparece quando uma necessidade física ou emocional não é atendida.

Por milênios, os homens foram socializados de modo a não demonstrar sentimentos nem fraqueza. Apenas recentemente vem surgindo uma conscientização sobre isso. Hoje em dia, os meninos também podem ficar tristes ou com medo e cada vez menos se ouvem frases infelizes como "Engole o choro" ou "Homem que é homem não chora".

Além da influência da criação, os homens também têm uma predisposição genética para se desligar dos sentimentos, o que se deve à divisão de tarefas predominante na Idade da Pedra. Se quisessem ser bons na caça, eles tinham que ser capazes de esquecer fraquezas e sentimentos por um tempo. Precisavam ser valentes. As mulheres também precisavam ser valentes, como ainda hoje precisam, mas, nos primórdios da humanidade (também atualmente, porém menos), suas funções giravam mais em torno do ambiente familiar. Aqui, a empatia é mais importante que a valentia. A predisposição genética dos homens tende à objetividade, enquanto as mulheres têm mais facilidade para se colocar no lugar do próximo.

A tendência masculina a reprimir sentimentos negativos tem lá suas vantagens, principalmente quando se trata de encontrar soluções práticas, porém, no âmbito das relações interpessoais, manter-se na superfície dos sentimentos pode causar problemas. Em minha prática clínica e em palestras, com frequência me deparo com homens que navegam como barcos sem rumo por entre seus problemas interpessoais por lhes faltar um modo de acessar seus sentimentos. Isso porque os sentimentos são necessários para conseguirmos avaliar as situações e ponderar. Os sentimentos nos indicam a importância (ou a desimportância) que algo tem para nós. O medo, por exemplo, nos avisa do perigo e nos faz evitá-lo. O luto nos informa que perdemos ou não obtivemos algo importante. A vergonha indica que quebramos uma regra social ou pessoal. A alegria nos mostra o que temos vontade de fazer.

Ter pouco contato com nossos sentimentos é ter pouco contato também com nossas necessidades pessoais. Não é raro que as pessoas digam não saber o que querem. Conheço alguns homens muito inteligentes que conseguem pensar de forma abstrata mas que não conseguem pôr sua vida nos trilhos. Na vida profissional, eles não desenvolvem todo o seu potencial e, na vida pessoal, enfrentam problemas de relacionamento. Alguns ainda conseguem avançar na carreira graças a seu intelecto, mas a vida familiar e a amorosa ficam para trás. Quando se trata de tomar uma decisão emocionalmente importante ou de formular metas pessoais, ficam emaranhados em suas reflexões abstratas e se perdem nos prós e nos contras. O que lhes falta é compreender seus sentimentos, que, junto com o pensamento racional, poderiam orientá-los. Afinal, decisões justificadas racionalmente também nos fazem *sentir* algo bom. E é esse sentimento bom o que nos faz bater o martelo, ainda que de modo inconsciente.

Algumas pessoas também são dominadas por um sentimento específico que, surgindo com grande intensidade, se sobrepõe a todo o resto. Pode ser medo, depressão, agressividade, etc. Por trás desses *sentimentos condutores* muitas vezes se escondem outras sensações, não percebidas. É o caso de Miguel: a raiva o domina, mas a mágoa permanece oculta.

Se você quiser saber mais a respeito do mundo emocional masculino, recomendo o livro *Männerseelen* (A alma dos homens), de Björn Süfke.

O que posso fazer se não consigo sentir?

Se você tem dificuldade para entrar em contato com seus sentimentos e não sentiu nada nos exercícios anteriores, feche os olhos e se concentre em sua barriga e em seu peito. De início, preste atenção apenas no fluxo do ar entrando e saindo. Ele chega até o fundo do peito? Fica preso em algum lugar? É comum nossa respiração ficar curta quando reprimimos sentimentos. Por isso, permita-se respirar fundo. A melhor maneira de fazer isso é deitado. Depois, simplesmente entre em si mesmo e tente sentir como é por dentro. Se ainda assim não conseguir sentir, mantenha-se concentrado em sua barriga e em seu peito e, estando inteiramente consciente, tente sentir esse "nada" dentro de você. Sua barriga está relaxada? Seu coração bate normalmente? Sua respiração está profunda? Como é a sensação desse nada? Então tente perceber se por trás desse nada existe outro espaço.

Aliás, adianta muito se você praticar o sentir por meio da atenção. O não sentir, na maioria das vezes, é uma estratégia que as pessoas ensinaram a si mesmas quando crianças para evitar a dor e o desamparo provocados pelos pais. Elas aprenderam a redirecionar a atenção para longe dos sentimentos. Mas, da mesma forma, é possível aprender a reconduzi-la de volta.

Para isso, basta parar de vez em quando e se perguntar: "Como estou me sentindo?" Repare em sua barriga e em seu peito e nas sensações físicas nessas áreas. Se, por exemplo, você estiver sentindo um formigamento, uma dor, um aperto ou uma pressão, mantenha a atenção nesse ponto. Tente encontrar uma palavra adequada para o que está sentindo. Medo? Tristeza? Vergonha? Raiva? Ou seria alegria? Amor? Alívio? Então você pode fazer uma pergunta a essa sensação física, e essa pergunta é: "O que em minha vida provoca... [esse tremor, essa pressão, essa aceleração do coração, etc.] no meu corpo?" Faça essa pergunta a seu sentimento e permita que a resposta surja dessa parte do corpo que você está observando. Você não está procurando uma resposta dentro da sua cabeça ou com seu ego adulto. A primeira resposta geralmente é a correta, mesmo que pareça absurda num primeiro momento. A resposta também pode vir na forma de uma lembrança ou uma imagem. Ela vem de seu inconsciente, isto é, de sua criança interior, seja a criança-sombra ou a criança-sol. Essa técnica permite que você se comunique diretamente com sua criança interior. Ela é inspirada em um método psicoterapêutico chamado "focalização", desenvolvido pelo filósofo e psicólogo americano Eugene Gendlin.

Você vai ver que quanto mais direcionar a atenção para seus processos internos, mais fácil será percebê-los. Meditar também ajuda muitas pessoas nisso.

Projeção é realidade

O principal ponto que você precisa entender é que suas crenças negativas não são *a* realidade, e sim sua realidade subjetiva, moldada (ao menos em parte) pelas falhas da sua criação. Você enxerga as pessoas e a si mesmo pelas lentes de suas crenças, que projetam uma imagem distorcida puramente pessoal. Nosso objetivo aqui é dissolver essa projeção desfavorável e substituí-la por uma que seja melhor e mais realista. Para isso, é indispensável que você separe a criança-sombra do adulto sensato dentro de você. Eles não podem mais se misturar o tempo todo em sua percepção. Com a ajuda de sua mente adulta, entenda que as influências negativas de sua criança-sombra não são mais do que isto: *influências*. Você precisa entender que teria tido outras influências caso seus pais tivessem uma mentalidade diferente ou mesmo se fossem outras pessoas. Seu adulto interior precisa reconhecer que todas essas pequenas afirmações desagradáveis (as crenças pessoais que você anotou nos exercícios) não expressam nada sobre você ou seu valor, e sim sobre o tipo de criação que recebeu.

Se uma das suas crenças é, por exemplo, "Não sou bom o suficiente", sua mente adulta precisa entender que isso é falso, que você é, sim, bom o suficiente, apesar dos erros que cometeu. (Aliás, grande parte dos erros que cometemos decorre justamente de nossas crenças negativas.) Outro exemplo: se você nutre a crença "Não tenho valor!", sua mente adulta precisa entender que isso é um disparate, porque cada um de nós tem valor. E existe pelo menos uma pessoa na face da Terra para a qual você significa muito.

Todos nascemos inocentes. Se os pais transmitem à criança, mesmo que sem querer, o sentimento de que ela não tem valor, não é culpa da criança. Vou explicar como fortalecer o adulto interior com a ajuda de bons argumentos no exercício "Fortaleça seu ego adulto", na página 117.

O renomado psicólogo e coach Jens Corssen disse: "Desde o nascimento você é uma estrela brilhante!" É uma formulação bonita que eu gostaria de adotar. Desde o nascimento você é uma estrela brilhante, mesmo que às vezes se comporte de forma desfavorável.

Quando ficar claro para seu ego adulto que você é uma estrela brilhante e que não tem culpa pelo comportamento de seus pais, explique isso para sua criança-sombra. Senão você vai continuar vivendo numa dupla realidade: a criança em você vai continuar achando que é pequena e que o mundo se resume a papai e mamãe, ao passo que a parte adulta acha que tudo que ela pensa e sente é verdade. Isso é o que acontece com todas as pessoas que não desfazem sua configuração interior, que não refletem sobre suas crenças. Você se lembra da cliente que só aos 58 anos *sentiu* pela primeira vez que era adulta e que seu algoz estava morto havia muito tempo? A criança dentro dela e a criança em você param no tempo. A criança-sombra dessa cliente tinha apenas 5 anos. Quantos anos tem sua criança-sombra? Acredite quando falo que ela está presa numa realidade do passado e que isso influencia significativamente sua maneira de sentir, pensar e agir. Os efeitos de suas crenças são imensos.

Projeção é algo traiçoeiro. Projetamos na mente de outras pessoas uma imagem nossa que é basicamente ditada por nossas crenças. Se nos julgamos legais, então supomos que os outros também nos acham legais. Se nos achamos ruins, projetamos esse julgamento na mente dos outros. Procure perceber quantas vezes você acha que o outro pensa que você é gordo, feio, burro, chato, etc. e como isso prejudica sua autoestima. Depois, imagine que você vive numa ilha deserta: o problema ainda seria tão sério? Lá, para a grande maioria de nós, seria totalmente indiferente se fôssemos feios, burros ou chatos – pois não haveria ninguém para perceber. Para nós, tudo gira em torno do que pensamos que *os outros* pensam. Por trás disso está a estratégia da autoestima espelhada, sobre a qual falamos na página 36.

É por isso que vale a pena fazer o exercício de simplesmente olhar para o mundo, ver tudo que existe e parar de se enxergar com os olhos de outras pessoas (que na verdade são os nossos olhos). Assim enxergamos muito mais coisas e percebemos melhor o que está à nossa volta.

Vou falar mais sobre os exercícios que podem ajudar você a fazer as pazes com sua criança-sombra e a acolhê-la no Capítulo 16.

Agora, vamos nos aprofundar nas estratégias de autoproteção, aqueles comportamentos com os quais tentamos abafar e enfraquecer nossa criança-sombra, em geral de modo inconsciente. Como vimos, a criança-sombra em si acaba trazendo menos problemas do que essas estratégias que criamos para lidar com ela.

CAPÍTULO 13
AS ESTRATÉGIAS DE AUTOPROTEÇÃO DA CRIANÇA-SOMBRA

Quando acreditamos firmemente em nossas influências interiores, ou seja, quando nos identificamos com nossa criança-sombra de maneira inconsciente – e, portanto, completa –, fazemos de tudo para reprimir a criança-sombra ou ao menos sentir as crenças negativas dela o menos possível. Nosso maior esforço é para que os outros não percebam como nos sentimos insuficientes. Essas são as chamadas estratégias de autoproteção, que desenvolvemos para nos proteger dos sentimentos e pensamentos negativos da criança-sombra. Muitas dessas estratégias se formam ainda na infância, porém algumas só surgem na vida adulta, como o refúgio no vício. É importante entender que normalmente carregamos um número bastante grande de crenças, as quais, na maioria das pessoas, resultam da violação de alguma das quatro necessidades emocionais básicas. Assim, dispomos de um leque de estratégias, grande parte delas se manifestando em nossas ações.

Primeiro veremos as funções e as consequências fundamentais das estratégias de autoproteção para depois examinar de perto as mais usadas.

Por exemplo, uma pessoa que carrega a crença "Não sou boa o suficiente" vai (inconscientemente) fazer de tudo para invalidar essa crença. Ou então vai se conformar (inconscientemente) e fazer de tudo para confirmá-la. Uma estratégia muito comum para invalidar essa crença (e outras que afetam diretamente a autoestima) é o *perfeccionismo*. Raramente o perfeccionismo tem como origem a dedicação apaixonada a uma atividade, e sim, na maioria das vezes, o medo de falhar e ser rejeitado por isso. Muitas pessoas, motivadas por suas crenças negativas, se esforçam para fazer tudo certinho. Erros e fracassos provocam nelas um profundo sentimento de vergonha; afinal, são uma triste confirmação de sua inadequação. Quanto àquelas que se conformaram, é porque concluíram que não vale a pena se esforçar. Elas confirmam para si mesmas, repetidas vezes, que suas crenças refletem a realidade. Seu comportamento na vida amorosa impede relacionamentos duradouros e seu comportamento profissional impede que cresçam na carreira. Por exemplo, escolhem parceiros que não queiram compromisso e/ou se comportam de maneira tão complicada que o parceiro dificilmente vai aturá-las. No trabalho, esse medo de fracassar pode levá-las a procrastinar ou a não tentar oportunidades. Por medo de fracassar, acabam ficando muito abaixo de suas reais possibilidades. Outra estratégia de autoproteção comum é o *narcisismo*. É quando a pessoa adota uma conduta prepotente para hipercompensar a fragilidade de sua criança-sombra, procurando transmitir para si e para os outros que é a melhor (vou entrar em maiores detalhes sobre isso e sobre o perfeccionismo mais adiante).

Crianças que tiveram seu desejo de autonomia e controle repetidamente frustrado podem desenvolver crenças como "Estou à sua mercê" ou "Sou impotente" e, quando adultas, podem ter uma forte ânsia por *controle e poder*, já que a criança nelas está constantemente preocupada em não ser submetida a uma posição inferior. Pessoas que buscam poder (dominadoras) querem sempre ter vantagem, seja em conversas, no trabalho ou nos relacionamentos. Não são poucas as que têm medo de estabelecer vínculos porque a criança nelas associa proximidade emocional a desproteção. Elas evitam relacionamentos afetivos ou sempre se distanciam do parceiro após momentos de intimidade. No entanto, se a criança-sombra dessa pessoa já se conformou, ela vai criar laços com pessoas que lhe pareçam poderosas e dominantes e se submeter voluntariamente a elas. Assim ela repete as experiências dolorosas que já teve com pelo menos um dos pais. Um exemplo típico disso é uma mulher que se une a um homem que a domina ao extremo ou até mesmo a maltrata. O mesmo vale para um homem que se submete à esposa autoritária.

Entretanto, se sua necessidade de estabelecer vínculos tiver sido frustrada, de modo que uma de suas crenças seja "Estou sozinha", ela pode ter adquirido um comportamento muito dependente como estratégia de autoproteção. Ela vai sempre ser cautelosa quanto à harmonia e ao equilíbrio para não pôr em risco suas relações. Ou então a criança-sombra se esquiva de relacionamentos íntimos para se defender do medo do abandono, segundo o lema "Não se pode perder o que não se tem". Assim ela mantém o controle sobre sua situação. Nesse caso, a criança-sombra aprendeu que a solidão é a opção mais segura.

Uma crença relacionada à necessidade emocional básica de obter prazer ou evitar desprazer pode ser algo como "Não tenho permissão de sentir prazer". Pessoas que nutrem essa crença costumam se proteger *se refugiando no trabalho*, pois não sabem o que fazer com seu tempo livre. Elas também podem seguir *rotinas compulsivas*, sendo disciplinadas ao extremo. Ou podem hipercompensar as experiências da infância *consumindo de maneira excessiva e desenfreada*. Elas carecem de disciplina e costumam se deixar levar por impulsos.

Esses são apenas alguns exemplos básicos de como as estratégias de autoproteção operam. Num nível mais elevado, podemos dividi-las em *evitação (fuga)*, *hipercompensação (luta)* ou *resignação (congelamento)*, que, na psicologia, são os chamados estilos de enfrentamento.

Não necessariamente vai haver uma estratégia para cada crença. Uma mesma crença negativa pode surgir da frustração de diferentes necessidades básicas (por exemplo, podemos adotar a crença "Não sou importante" porque nossas necessidades de conexão, controle, autoestima e prazer não foram atendidas), assim como uma única estratégia de autoproteção pode resultar da violação de diferentes necessidades. Além disso, muitas dessas estratégias apresentam diversos pontos em comum. Perfeccionismo e obsessão por controle, por exemplo, estão intimamente relacionados, assim como a obsessão por harmonia e a "síndrome do bonzinho".

Como mencionado, as estratégias de autoproteção são, na maioria das vezes, a principal causa dos nossos problemas. A crença "Não mereço ser amado" faz uma pessoa evitar interações sociais e fugir de relacionamentos íntimos, e a solidão que resulta de seu isolamento é o problema em si. Se ela permanecesse em contato com as pessoas e conseguisse um modo de explicar como se sente, teria mais chances de não se ver tão sozinha. Portanto, não são as crenças negativas em si que pesam sobre nossas relações e sobre nosso modo de viver, mas as estratégias de autoproteção que adotamos em reação a essas crenças. *Assim, em última análise, a maioria dos nossos problemas resulta da tentativa de nos protegermos.*

É muito importante que você valorize e respeite suas estratégias de autoproteção, pois foram muito úteis e pertinentes na sua infância. Quando criança, você se adequou a seus pais da melhor forma possível. Ou se rebelou – com certeza você teve boas razões para isso. Até hoje você se esforça para lidar consigo mesmo e com outras pessoas usando suas estratégias de autoproteção. E esses esforços merecem todo o seu reconhecimento. Só tem um problema nisso: sua criança-sombra ainda não compreendeu que vocês – ela e seu ego adulto – cresceram. Ela ainda vive na realidade de antigamente. Vocês hoje são livres e capazes de cuidar de si mesmos. Você não depende mais dos seus pais. O adulto conta com recursos muito melhores para se proteger e se afirmar. É claro que vou lhe ensinar esses recursos, mas antes disso você precisa reconhecer e compreender suas estratégias da infância para então respeitá-las e transformá-las.

A seguir vou apresentar as categorias gerais nas quais as estratégias individuais e específicas podem ser classificadas. Por exemplo, se você se protege jogando por horas e horas no computador e assim escapando da realidade, pode categorizar isso como *fuga-evasão*. Se sempre aceita tudo que seu chefe diz quando deveria fazer valer seu ponto de vista, pode categorizar isso como obsessão por harmonia. Conforme for lendo, fique atento a quais estratégias você está empregando, mesmo que não sejam mencionadas aqui.

Estratégia de autoproteção: repressão

A repressão de realidades desagradáveis ou mesmo insuportáveis é uma estratégia bem elementar, sem a qual mal poderíamos funcionar. Se eu tivesse plena consciência das coisas terríveis que acontecem no mundo, incluindo minha vulnerabilidade e mortalidade, ficaria paralisada pelo medo e pela impotência. Portanto a repressão é, antes de tudo, uma estratégia saudável e valiosa.

Quando reprimo alguma coisa, isso escapa de minha percepção. E quando não percebo alguma coisa, não consigo desenvolver sentimento, pensamento e ação (conscientes) sobre essa coisa. É por isso que reprimimos psicologicamente apenas realidades que desencadeiam em nós sentimentos desagradáveis, como medo, tristeza ou desespero. Afinal de contas, quase não há motivos para reprimirmos algo que nos traga muita satisfação e alegria (a menos que nos cause um grande conflito, como, por exemplo, trair nosso cônjuge). É por causa da repressão que pessoas que tiveram uma infância feliz se recordam com clareza desse período, enquanto aquelas que tiveram uma infância triste têm uma lembrança parcial.

Na verdade, a repressão é a "mãe de todas as estratégias de autoproteção", porque, em última análise, todas as nossas defesas se resumem a reprimir o que não queremos sentir ou perceber. Todas as outras estratégias, como a dominação, o perfeccionismo, a obsessão por harmonia ou a síndrome do bonzinho, estão a serviço da repressão.

Entretanto, quando reprimo meus problemas, fico impossibilitada de trabalhar neles. E se eu reprimi-los por tempo demais eles podem se acumular tanto que vai chegar o momento em que não vou mais conseguir ignorá-los. Assim, o perfeccionismo, por exemplo, pode levar ao esgotamento ou até mesmo ao *burnout*. Nesse sentido, o *burnout* é uma das consequências que, na maioria dos casos, afeta apenas a própria pessoa e seu entorno. As coisas podem ficar piores quando um indivíduo reprime os sentimentos de impotência por meio de uma sede de poder e dominação, especialmente se ele exercer grande influência sobre a sociedade.

Estratégia de autoproteção: projeção e vitimização

Assim como a repressão, a projeção também é uma estratégia universal, sendo, portanto, considerada base para todas as outras. *Projeção* é um termo da psicologia que significa perceber outras pessoas pelo prisma das minhas necessidades e dos meus sentimentos. Se me sinto inseguro e inferior, são grandes as chances de que eu projete nos outros uma força e uma dominância superiores. Também é comum projetarmos no parceiro as experiências que tivemos com nosso pai ou nossa mãe. Se, por exemplo, sua mãe foi muito controladora, você pode se sentir controlado por sua parceira muito depressa, porque, em seu inconsciente, presume que ela é como sua mãe. Ou, se costuma ser avarento ou ganancioso, facilmente presume o mesmo dos outros. Mas também podemos projetar sentimentos e desejos positivos. Se você foi criado numa família de propaganda de margarina, pode, ingenuamente, achar que as outras pessoas são tão confiáveis e tão boas quanto seus pais.

A repressão e a projeção atuam na função mental da percepção. E a percepção é a base de todas as outras funções mentais, tais como pensamento e emoção, e é também a base do comportamento. Tudo depende da nossa percepção, que podemos equiparar à consciência. É por isso que não reconhecemos uma distorção perceptiva no momento em que ocorre. Na melhor das hipóteses, conseguimos refletir sobre ela depois. De repente, a exemplo de Saulo na Bíblia, algo como escamas cai de meus olhos e me dou conta de que estava errada o tempo todo. É muito mais fácil perceber o que estamos fazendo quando empregamos estratégias de autoproteção relacionadas ao comportamento e à ação.

Ao contrário dos animais, nós, seres humanos, temos a capacidade de autorreflexão, mas cada um faz uso dessa capacidade em medidas que podem variar imensamente. Algumas pessoas se dedicam com afinco ao desenvolvimento pessoal, enquanto outras mal o fazem. Em sua maioria, as pessoas que se esquivam do autoconhecimento têm um medo atroz de entrar em contato com sua criança-sombra.

A criança-sombra de Patrícia, por exemplo, acredita que é uma pessoa ruim e que não merece ser amada. É difícil para Patrícia suportar esse sentimento de inferioridade, por isso ela o repele. Só que, ao fazer isso, fica impossibilitada de trabalhar esse medo. Agora imaginemos que Patrícia encontra Júlia, que ela enxerga como melhor e mais forte. De maneira automática porém inconsciente, Patrícia presume que Júlia vai menosprezá-la e rejeitá-la. Ela se vê como vítima potencial de Júlia. Mas Patrícia não reflete sobre esse processo interno. Em vez disso, sua criança-sombra e seu adulto interior se utilizam de um pequeno artifício mental: concluem que Júlia é traiçoeira e antipática. Eles a rejeitam. Em resumo: o sentimento de inadequação de *Patrícia* é projetado em Júlia na forma de uma suposta hostilidade, pois Júlia lhe parece mais forte.

Pessoas que, assim como Patrícia, apresentam forte tendência a manter a dor do autoconhecimento o mais longe possível da consciência são muito propensas à projeção. Isso significa que atribuem a outras pessoas sentimentos e intenções negativos que na verdade vêm das próprias inquietações emocionais, sobretudo se forem pessoas que percebem como superiores. Dessa forma, os sentimentos de culpa também são evitados. Ninguém quer admitir que fez besteira, então encontramos um bode expiatório. Isso funciona em todos os níveis, desde a relação entre meros vizinhos até o grande palco da política.

Ninguém está imune a percepções distorcidas ou a projeções. Isso acontece com todo mundo o tempo todo. No entanto, há pessoas que oferecem uma forte resistência, quase agressiva, ao autoconhecimento. Também é muito difícil, quando não impossível, travar uma conversa construtiva com pessoas assim sobre a resolução de seus problemas. É uma causa perdida, dada a obstinação com que se recusam a refletir sobre si mesmas. Sua autoestima é muito frágil para admitirem culpa. Nunca deixo de me impressionar com a capacidade das pessoas de ter pensamentos distorcidos e comportamentos injustos quando não estão dispostas a considerar que contribuíram de algum modo para aquela situação. É evidente que isso sempre se transforma em algo nocivo e perigoso quando populações inteiras se tornam vítimas de tais projeções, já que, dessa forma, a injustiça e a violência se legitimam muito mais depressa. Em contrapartida, quando a pessoa A enxerga a pessoa B de maneira claramente distorcida, muitas vezes só resta a B a possibilidade de se afastar de A (contanto que B não mantenha uma relação de dependência com A).

Embora a repressão e a projeção sejam estratégias que todos utilizamos e estejam relacionadas à função mental básica da percepção, as estratégias que veremos a seguir são um pouco mais específicas. Elas se referem sobretudo a modos de agir, por isso são muito mais fáceis de reconhecer e de mudar.

Estratégia de autoproteção: perfeccionismo, obsessão pela beleza e ânsia de reconhecimento

Crenças típicas: "Não sou bom o bastante", "Não posso cometer erros", "Sou uma pessoa ruim", "Sou feio", "Não presto para nada", "Sou um fracasso".

A maioria das pessoas que não reconhecem o próprio valor levam a vida na defensiva. Não se permitem baixar a guarda de maneira alguma. Ser perfeito é não ter falhas, e os perfeccionistas correm o risco de se empenhar demais – dentro da roda de hamster, eles têm a impressão de que estão galgando degraus rumo ao sucesso. O problema dessa estratégia é que nada nunca é suficiente. Há sempre algo maior ou melhor a alcançar. Essas pessoas estão sempre correndo atrás das próprias exigências. Tão logo conquistam um troféu, precisam conquistar o próximo. Os êxitos alcançados proporcionam apenas alívio temporário. Elas satisfazem principalmente o adulto interior, enquanto a criança-sombra permanece desinteressada. O sucesso exterior não cura as feridas profundas da criança-sombra. Ela continua presa à realidade do passado, insistindo na crença de que não é boa o suficiente. É por essa razão que muitas pessoas, embora bem-sucedidas, ainda carregam profundas dúvidas a respeito de si mesmas e nunca estão realmente satisfeitas. Muitas vezes elas atribuem suas conquistas à sorte, pois na verdade não as mereceriam.

Uma variante do perfeccionismo é a *obsessão pela beleza*. A aparência, afinal, é algo que oferece inúmeras possibilidades de intervenção prática: contar calorias, pintar o cabelo, passar cosméticos... Bem diferente das dúvidas arraigadas da criança-sombra, tão difíceis de combater. É por isso que muitas pessoas projetam seus medos na aparência, pois é algo que pode ser manipulado com medidas concretas. Os sucessos alcançados com a beleza exterior, no entanto, também geram apenas alívio, sem oferecer nenhuma cura a longo prazo. Muito pelo contrário: à medida que os anos passam, mais problemas a pessoa tem com essa estratégia.

O que ambas as estratégias (perfeccionismo e obsessão pela beleza) têm em comum é que são um tremendo esforço para obter *reconhecimento*. Há muitas pessoas que fazem de tudo para serem reconhecidas por seus pares, o que norteia seus hobbies, hábitos de consumo, relacionamentos amorosos, etc. Atividades, posses e parceiros são escolhidos segundo o propósito de levantar a autoestima.

É raro que alguém consiga escapar dessas ambições, pois somos animais de rebanho e, como tais, dependemos de vínculos. O reconhecimento é, por assim dizer, a moeda desses vínculos e de nossa integração na comunidade. Nossa necessidade de conexão está atrelada a um profundo medo de rejeição. Portanto, como de costume, o problema não é gostar de ser reconhecido e se sentir um pouco envergonhado quando se sofre rejeição, mas a *intensidade* dessa ânsia de reconhecimento. Se levada ao extremo, essa estratégia faz as pessoas perderem contato com seus verdadeiros desejos e, em parte, com seus valores morais.

Méritos dessa estratégia: Pessoas que buscam a perfeição são guerreiras por natureza. Você é forte, esforçado e disciplinado. São traços poderosos. É por isso que chegou tão longe fazendo uso dessa estratégia. Fique tranquilo e orgulhe-se de si mesmo.

Primeiros socorros: Você decidiu proteger sua criança-sombra não dando a ninguém motivo para criticá-lo. Essa estratégia tem funcionado até aqui, mas você corre o risco de ficar esgotado. Além do mais, com essa estratégia você não vai alcançar sua criança-sombra, então reflita se não seria possível encontrar meios mais simples e menos estressantes de consolá-la. Com o auxílio de seu adulto interior, conscientize-se de que essa história de sucesso e reconhecimento se passa muito mais na sua cabeça do que na realidade. Você seria até uma pessoa mais agradável se relaxasse um pouco. Além disso, tenha em mente que sua criança-sombra sempre vai precisar de "uma dose mais forte", por isso você não vai encontrar paz a longo prazo. Mais adiante vou explicar em detalhes de que maneira você pode tranquilizar sua criança-sombra por meios menos estressantes.

Estratégia de autoproteção: obsessão por harmonia e hiperadequação

Crenças típicas: "Preciso me adequar a você", "Não sou bom o bastante", "Sou inferior a você", "Tenho que agradar e me comportar bem", "Não devo me defender".

Assim como o perfeccionismo, a obsessão por harmonia é uma estratégia bem comum. As duas muitas vezes atuam em conjunto, protegendo a criança-sombra do seu medo excessivo de rejeição.

Pessoas que buscam harmonia a todo custo querem satisfazer as expectativas de todos à sua volta. Tendo descoberto ainda crianças que essa era a maneira mais eficiente de receber afeto e reconhecimento, aprenderam a sufocar seus desejos e sentimentos para se adequar ao máximo. Ter vontades próprias e persegui-las com determinação são obstáculos para a plena adequação, por isso elas instintivamente reprimem emoções como raiva e indignação, pois poderiam levar a comportamentos hostis – coisa que evitam ao máximo. Essas pessoas reagem às ofensas pessoais mais com tristeza do que com raiva, por isso são mais propensas à depressão do que aquelas que se relacionam bem com seus sentimentos de raiva. Não é que elas não se irritem, é que esses sentimentos dão lugar a uma espécie de raiva fria, muitas vezes recaindo em uma resistência passiva. Em vez de, por exemplo, deixar bem claro o que querem, essas pessoas se magoam e passam a evitar contato com quem as magoou. Vou entrar em maiores detalhes sobre as diferenças entre a agressão ativa e a passiva mais adiante, ao tratar da dominação e da obsessão por controle como estratégias de autoproteção.

Se uma pessoa tenderá à adequação ou à resistência vai depender não apenas das suas experiências da infância, mas também de sua natureza inata. Por exemplo, pessoas obcecadas por harmonia em geral têm uma índole serena e sensível, enquanto crianças que se rebelam contra as expectativas dos pais são naturalmente mais impulsivas.

Pessoas obcecadas por harmonia muitas vezes não sabem o que querem, de tão bem treinadas que foram para reprimir seus desejos. Costumam ter dificuldade em traçar metas pessoais e tomar decisões.

No trato interpessoal, pessoas obcecadas por harmonia são muito gentis e agradáveis, mas essa sua estratégia às vezes desgasta ou até destrói relacionamentos. Com tanto medo de desagradar, elas evitam conflitos, por isso não dizem francamente o que sentem, pensam e querem – pelo menos não quando temem encontrar resistência. Sua criança-sombra logo percebe o outro como maior e superior, uma distorção perceptiva que facilmente faz com que recaiam no papel de vítima: por medo de quem imaginam ser mais forte, elas se submetem de bom grado e fazem coisas que não querem fazer, de modo que a pessoa supostamente mais forte se transforma em algoz aos olhos delas. Na maioria das vezes, o adulto interior não percebe isso como uma submissão voluntária pois não entende que é levado a agir assim pelas projeções da criança-sombra, então essas pessoas se ressentem da aparente dominação do outro. Quanto mais sentem que não são atendidas e que estão sendo dominadas pelo outro, mais inclinadas estarão a se afastar dessa pessoa para proteger seu espaço pessoal. Via de regra, o outro nem sequer tem a oportunidade de intervir nesse processo, já que o medo de rejeição impede a pessoa de se abrir. Então entra em ação um efeito psicológico comum: para se defender do seu medo, a pessoa que se vê como mais fraca se desvia da ameaça (nesse caso, a rejeição) lançando-a sobre a pessoa que ela vê como mais forte. Ela faz com o outro o que *acha* que o outro faz ou vai fazer com ela. Isso é conhecido como *inversão vítima-agressor*.

Méritos dessa estratégia: Você está fazendo um esforço tremendo para se dar bem com as pessoas e não magoar ninguém. Isso faz de você uma pessoa simpática e adorável e um ótimo colega de trabalho, porque quase sempre põe suas necessidades e a si mesmo em segundo plano.

Primeiros socorros: Sua criança-sombra quer permanecer o mais escondida possível, mas as pessoas à sua volta não têm como adivinhar como você está se sentindo. Conscientize sua criança-sombra de que ela pode se mostrar mais sem maiores problemas. Ela pode fazer valer seus desejos e necessidades. Agindo assim, você não vai necessariamente ser uma pessoa desagradável. Na verdade, pode até ser mais simpático ainda, porque vai se mostrar mais acessível e transparente. As pessoas não vão precisar quebrar a cabeça toda vez que quiserem saber o que se passa com você. Lembre que as coisas ficam muito mais fáceis para seus amigos, colegas de trabalho e familiares quando você diz o que quer em vez de ficar de cara e boca fechadas. Abrir-se mais também pode evitar que você passe de vítima a agressor – a não ser que seja essa sua intenção.

Estratégia de autoproteção: a síndrome do bonzinho

Crenças típicas: "Não tenho valor", "Não sou bom o bastante", "Tenho que ajudar para ser amado", "Sou inferior", "Dependo de você".

As pessoas acometidas pela chamada síndrome do bonzinho protegem sua criança-sombra oferecendo ajuda àqueles que percebem como necessitados. Sentem-se valorizadas e úteis por meio de boas ações. Por isso a síndrome do bonzinho é uma das estratégias de autoproteção mais bem-aceitas socialmente. O problema é que os bonzinhos tendem a criar laços com pessoas que não podem ajudar, vendo-se às vezes envolvidos em projetos sem a menor perspectiva de sucesso, especialmente se a pessoa necessitada for seu parceiro. Eles inclusive preferem criar vínculos com pessoas que apresentam deficiências evidentes, pois dessa forma se veem como o príncipe no cavalo branco que vai livrar o parceiro de seu sofrimento, tornando-se, assim, inestimável para ele. Nesse sentido, os parceiros mais adequados são aqueles que apresentem problemas emocionais, que tenham algum vício, que tenham alguma deficiência física que exija um cuidador ou, ainda, os que estejam à beira da ruína financeira.

Pessoas que se viram sozinhas desencadeiam nos bonzinhos sentimentos de inferioridade, pois não precisam da ajuda deles. A equação que os bonzinhos estabelecem em relacionamentos é determinada pela seguinte regra: "Como você precisa de mim, vai ficar comigo." O único problema é que essa equação raramente bate. Os bonzinhos quase sempre lutam por uma causa perdida até a exaustão. Não querem perceber que, em última análise, exercem pouca influência sobre seus alvos. Afinal, se a pessoa não assumir responsabilidade pelas dificuldades que enfrenta e não quiser fazer nada para mudar isso, nem os melhores conselhos poderão ajudá-la. Assim se inverte a dependência: o bonzinho quer que o parceiro dependa dele, mas ele é que passa a depender do parceiro, uma vez que não é capaz de ajudá-lo nem de deixá-lo.

A solução desse dilema é complicada, porque a criança-sombra do bonzinho acha que é culpada pela situação em que o parceiro se encontra. Até porque os problemas do parceiro não afetam apenas a ele próprio: acabam sobrecarregando a relação e afetando também o bonzinho. Pessoas com a síndrome do bonzinho geralmente não são bem tratadas pelo parceiro. Suas necessidades de atenção e afeto são constantemente negligenciadas. Com isso, o medo básico de sua criança-sombra, de ser imprestável e ruim, é confirmado. Para provar o contrário, essas pessoas continuam lutando pelo parceiro, na inabalável esperança de que ele vá mudar e passar a tratá-las melhor algum dia. Essa luta as mantém fisgadas no anzol do parceiro.

Méritos dessa estratégia: Você está se esforçando ao máximo para ajudar e ser uma boa pessoa. Isso merece todo o respeito. Você já ajudou muito algumas pessoas e elas lhe são gratas.

Primeiros socorros: O problema com sua estratégia é que você tem propensão para se entregar demais a causas impossíveis. Por isso, conscientize sua criança-sombra de que você é bom o bastante e tem seu valor mesmo que não ajude todo mundo. Faça-a entender que muitas vezes você não vai conseguir ajudar. E explique a ela que não só vocês (sua criança-sombra e seu adulto interior) são responsáveis pela sua felicidade, mas ela depende também de outras pessoas. É claro que você pode continuar oferecendo assistência, essa é uma qualidade maravilhosa, mas procure identificar quando sua ajuda é adequada e quando não é. Conscientize sua criança-sombra de que ela utiliza as pessoas a quem ajuda como muleta para ajudar a si mesma. Neste livro, vou lhe mostrar como encontrar um apoio interior mais saudável do que sucumbir à síndrome do bonzinho.

Estratégia de autoproteção: exercer poder

Crenças típicas: "Estou à sua mercê", "Sou impotente", "Não sei me defender", "Não sou bom o bastante", "Não posso cometer erros", "Não devo confiar em ninguém", "Preciso ter controle sobre tudo", "Nunca sou atendido".

A criança-sombra de pessoas que se valem dessa estratégia tem um medo exagerado de se ver em posição de inferioridade e de fraqueza e de ser atacada. Quando crianças, ficavam à mercê do poder excessivo dos pais. Assim como no caso de pessoas obcecadas por harmonia, a criança-sombra de pessoas dominadoras pode projetar superioridade e dominância sobre aqueles a seu redor. Só que ela consegue isso se rebelando contra os demais, não se adequando. Pessoas com esse padrão querem ter o controle nas relações interpessoais. Nesse caso, elas podem escolher (inconscientemente) entre duas estratégias: resistência ativa ou passiva. A maioria emprega ambas. *Resistência ativa* e *passiva* são comportamentos que todos nós empregamos – às vezes *precisamos* empregar – para defender nossos limites pessoais, mas, no caso de pessoas com forte necessidade de poder e controle, essas estratégias desempenham um papel especial, razão pela qual as destaco aqui.

Para oferecer resistência, precisamos usar de certa dose de agressão, e é por isso que se fala em *agressão ativa* ou *passiva*. A agressão ativa é fácil de reconhecer. A pessoa em questão insiste em seu direito, discute e briga.

Já a agressão passiva, ou resistência passiva, não é tão evidente à primeira vista. A pessoa que se comporta de maneira passivo-agressiva não comunica sua intenção com clareza, mas o faz por meio de sabotagem, em maior ou menor grau. De forma resumida, ela simplesmente *não* faz o que se espera dela. Por exemplo, promete algo mas "esquece" de cumprir ou simplesmente se nega a fazer o que prometeu. Ou então até cumpre, mas com uma lentidão enervante e deliberada.

Ignorar o outro ostensivamente também é uma forma típica de resistência passiva. É o famoso "dar gelo", evitar o outro de propósito, por mais que ele o procure. Por trás dessa atitude está a criança-sombra, julgando-se sobrecarregada na relação. Por exemplo, um cliente "foi forçado" a mudar de cidade seguindo sua companheira, ainda que preferisse ficar em sua cidade natal. Inconscientemente, ele ficou tão magoado por conta disso que perdeu todo o interesse sexual nela. Essa, aliás, é uma forma comum de expressar a agressão passiva, tanto entre homens quanto entre mulheres. Com esse pequeno exemplo podemos constatar como é importante assumir a responsabilidade pelas próprias decisões. De maneira inconsciente, meu cliente se tornou vítima da parceira supostamente dominante e não considerou a hipótese de que sua criança-sombra tivesse se submetido voluntariamente aos desejos dela.

O traço caraterístico da teimosia está intimamente associado à resistência passiva. Quem se comporta com obstinação excessiva e intransigência desperta fortes sentimentos de agressividade nas outras pessoas, porque elas se sentem impedidas de exercer qualquer influência sobre o intransigente. O comportamento de resistência ativa (agressivo) também desperta raiva, é claro, a menos que o medo prevaleça. A diferença é que o agressor ativo ao menos reconhece o que faz, assumindo a responsabilidade por seu comportamento, enquanto o passivo-agressivo age disfarçado por uma aparência de falsa calma. Esse comportamento pode enfurecer as pessoas de tal maneira que, no fim das contas, os alvos esbravejam e brigam e saem como os "vilões" da situação. No jargão da psicologia, tais pessoas são chamadas de "pacientes identificados". Em outras palavras, o indivíduo que evidencia os sintomas (neste caso, raiva e agressão) é tomado como o "problemático", mas o passivo-agressivo, que boicota qualquer interação frutífera com sua manipulação indireta, sai incólume.

O trato com pessoas dominadoras é desgastante porque elas querem ter razão o tempo todo, na maioria das vezes fazendo valer sua vontade, ou porque, com sua agressividade passiva, se recusam a cooperar de maneira sensata. Como de costume, aqui também se observa a chamada inversão vítima-agressor: ao se perceber como vítima (dos pais) e como inferior, a criança interior da pessoa dominadora projeta no outro dominância e superioridade, contra as quais precisa se defender. Então, usando de suas estratégias, ela inflige ao outro os sentimentos de impotência que deseja evitar em si mesma.

A propósito, mesmo as pessoas genuinamente gentis e que em geral buscam harmonia a todo custo podem ter ocasionais "acessos" de sede de poder. A criança-sombra nelas às vezes gosta de exercer dominância por meio de, digamos, agressões gratuitas ao parceiro. Uma cliente minha muito simpática e sociável me relatou que muitas vezes sentia o impulso de diminuir o parceiro com comentários maldosos quando o via bem-humorado e carinhoso. Ela mesma achava esse comportamento muito ruim, mas, de início, não conseguia explicar a razão de agir daquela maneira. Ao analisarmos as situações uma por uma, verificamos que sua criança-sombra gostava do poder que exercia sobre o parceiro, pois inconscientemente se vingava do pai dominador.

A dominação também se manifesta por meio de um *comportamento exigente*. Sem saber, pessoas muito exigentes costumam ter a crença "Nunca sou atendido", por isso sempre acham que estão sendo passadas para trás. Para se proteger, sua criança-sombra decidiu não permitir que ninguém "passe a perna" nelas. Dessa forma, elas demandam, com muita autoridade, que suas necessidades sejam supridas. Essas pessoas exigem muito mais do que oferecem, mas enxergam o contrário: por causa de sua crença, tendem a se ver como vítimas. Ao lidar com elas, as pessoas logo têm a sensação de que são obrigadas a agradá-las de todo modo para mantê-las de bom humor.

Em casos mais moderados, são simplesmente pessoas mesquinhas. Estão sempre muito atentas a seus direitos e até respeitam os dos outros, mas nunca são generosas, seja com dinheiro, elogios ou favores. Tudo é calculado e monitorado. A criança-sombra delas se protege tomando tudo para si com avidez.

Méritos dessa estratégia: Você é uma pessoa forte. Você se defende e enfrenta seus adversários. Você é o oposto da resignação. Você tem uma incrível força de vontade para sobreviver e se afirmar. Isso já o protegeu e o fez seguir em frente muitas vezes.

Primeiros socorros: Conscientize sua criança-sombra de que os dias com seus pais ficaram para trás. Vocês (seu adulto interior e sua criança-sombra) já são grandinhos. É claro que você tem os mesmos direitos que outras pessoas e claro que tem permissão de se defender. O problema é que você pega pesado. O mundo lá fora nem sempre é tão ruim quanto você pensa. Relaxe e confie mais em si e nos outros. Muitos dos conflitos que você tenta resolver buscando poder ou que provoca nessa busca são desnecessários. Com mais boa vontade e empatia, você tranquilamente irá muito mais longe. Mais adiante vou lhe mostrar como fazer isso.

Estratégia de autoproteção: obsessão por controle

Crenças típicas: "Preciso ter controle de tudo", "Estou perdido", "Estou à sua mercê", "Não posso confiar em você", "Não sou bom o bastante", "Não tenho valor".

Uma variante da dominação é a *obsessão por controle*, que, assim como o poder, desempenha um papel em nossa necessidade de segurança. Afinal, é preciso ter certa dose de controle sobre nós mesmos e sobre nosso entorno para levar uma vida razoavelmente boa. Só que algumas pessoas têm uma necessidade de certeza e segurança acima da média. Por trás disso se esconde o medo que a criança-sombra sente diante do caos e do próprio declínio pessoal, isto é, o medo de ser vulnerável e frágil. A "lógica" dessa estratégia é superar esse medo por meio de ordem meticulosa, perfeccionismo e regras rígidas. À semelhança do que ocorre no perfeccionismo (que é uma variante da obsessão por controle), pessoas controladoras tendem a se desgastar de maneira irracional, sobretudo porque, com medo de perder o controle, também têm dificuldade em delegar tarefas.

Pessoas controladoras tendem a monitorar não só a si mesmas como também o parceiro e familiares. O controlador quer estar bem informado sobre as ações deles, pois, confiando tão pouco em si mesmo, tem problemas em confiar nos outros. Em seu ápice, essa desconfiança pode evoluir para uma crise desenfreada de ciúme. Muitos relacionamentos chegam ao fim por causa da necessidade exacerbada de controle de um dos parceiros. Da mesma forma, o excesso de controle também prejudica o desenvolvimento saudável dos filhos.

Para manter o controle sobre a saúde e/ou a aparência, muitos controladores também possuem uma autodisciplina compulsiva. Nesse caso, a criança-sombra projeta no corpo sua vulnerabilidade interna, o que, em casos extremos, pode assumir a forma da hipocondria. Assim como na obsessão pela beleza, o corpo oferece aqui uma superfície de projeção muito mais concreta – e, portanto, também mais controlável – do que os medos difusos de declínio.

A chamada *rumina*ção é outra forma de controle. Muitas pessoas reclamam de não conseguir desligar os pensamentos, que trilham sempre os mesmos caminhos quase de modo compulsivo. A ruminação pode ser considerada uma tentativa vã de encontrar uma solução: o cérebro simplesmente não dá sossego até que o bloqueio seja contornado. No entanto, esses ciclos intermináveis de pensamentos em torno do problema, na maioria das vezes, mais atrapalham do que levam a uma solução.

Méritos dessa estratégia: Você tem uma autoconfiança e uma disciplina incríveis. A disciplina é um recurso valioso. Orgulhe-se de sua força de vontade.

Primeiros socorros: Seu problema é que, para proteger sua criança-sombra de ser agredida e ferida, você muitas vezes passa do ponto. Sua busca por controle gera estresses frequentes, não só em você mas também nas pessoas à sua volta. É muito importante que sua criança-sombra ganhe mais autoconfiança, mas também um pouco mais de "fé" de que as coisas estão se encaminhando. Tente trabalhar mais a alegria de viver e a serenidade. Com a ajuda de seu adulto interior, explique a sua criança-sombra que ela é boa o suficiente do jeito dela e que não precisa se esforçar tanto o tempo todo. Descanse com mais frequência e se recompense por suas realizações.

Se você estiver tendo pensamentos ruminantes, tire meia hora por dia para escrever sobre o problema em questão e depois, com sua força de vontade, tente direcionar seus pensamentos e sua atenção para outras coisas. Seu adulto interior vai ter a certeza de que, em caso de dúvida, tudo estará anotado e nenhuma informação será perdida.

Estratégia de autoproteção: agressão-ataque

Crenças típicas: "Sou inferior", "Não posso confiar em você", "Não devo impor limites", "O mundo é mau", "Nunca sou atendido", "Não sou importante".

Como já mencionado, emoções como raiva e agressão desempenham um papel importante em nossas vidas, possibilitando que defendamos nossos limites pessoais. O problema dos dias de hoje é que os inimigos não podem ser identificados com a mesma objetividade com que o eram na Pré-História. E, quando projetamos e distorcemos a realidade, por vezes vemos inimigos onde eles não existem. Pessoas cuja criança-sombra se considera inferior logo se sentem atacadas (não física mas subjetivamente). Dessa forma, por exemplo, elas podem se ofender com comentários inofensivos, o que pode levá-las a cometer uma forte agressão (ativa). Isso acontece com intensidade e frequência ainda maiores se a pessoa não reflete sobre a própria raiva, como é o caso daquelas obcecadas por harmonia.

Pessoas inconscientemente propensas a comportamentos rebeldes revidam de modo ativo às agressões, sejam elas reais ou imaginárias. Neste livro não vou abordar casos extremos (como os de homens ciumentos que matam a esposa por ter seu ego ferido), dedicando-me a casos mais rotineiros. Vamos falar, por exemplo, de um velho conhecido de todos nós, o "explosivo". Todo mundo já passou por uma situação em que a outra pessoa "surtou" do nada e se perguntou, perplexo, o que disse ou fez de tão ruim. Com os explosivos, a cadeia de estímulo-reação-ação sucede quase que instantaneamente, a exemplo do que vimos no caso de Miguel. Em reação a uma agressão imaginária, ele se sente atacado, o que desencadeia a raiva e faz com que revide, verbal ou fisicamente (muito embora agressões físicas e ataques verbais violentos já não sejam mais considerados apenas grosseria), tornando-se assim o real agressor.

Pessoas com tendência à impulsividade muitas vezes também padecem com ela. Momentos após a raiva ter passado e elas terem retornado a seu ego adulto, essas pessoas sabem que passaram dos limites. O problema é que a raiva impulsiva é muito difícil de domar. Se uma pessoa deseja controlar a impulsividade, as intervenções devem ter como prioridade impedir que a raiva venha à tona. A prevenção deve, portanto, começar com a ofensa, sendo, dessa forma, um dos temas centrais deste livro. Ainda vou entrar nos pormenores sobre a questão da ofensa.

Méritos dessa estratégia: Você não é de levar desaforo para casa, é muito forte e sabe se defender. É um guerreiro nato. Sua impulsividade também faz de você uma pessoa muito vivaz – os outros não se entediam tão rápido com você.

Primeiros socorros: Sua criança-sombra se ofende com muita facilidade. É por isso que ela logo tem a sensação de que está sendo desrespeitada e agredida. Tente permanecer o máximo possível junto de seu ego adulto e, com isso, em pé de igualdade com as outras pessoas. Assim você vai conseguir reagir de maneira sensata e adequada. Isso pode ser de grande valia para preparar você para situações que podem desencadear raiva. Analise muito bem qual a extensão da participação de sua criança-sombra e de suas percepções distorcidas nisso tudo e deixe isso separado de seu adulto interior. Ele precisa, impreterivelmente, sobressair. Para isso, pode ser útil ter à mão algumas estratégias de resposta. No Capítulo 16, explico como fazer isso no exercício "Uma breve introdução à rapidez de raciocínio".

Estratégia de autoproteção: a eterna criança

Crenças típicas: "Sou fraco", "Sou insignificante", "Dependo de alguém", "Tenho que me adequar", "Não posso decepcionar ninguém", "Não sou capaz de fazer nada sozinho", "Não sou bom o bastante", "Não posso abandonar você".

Algumas pessoas não querem se tornar adultas, preferindo permanecer crianças para sempre. Elas se apoiam em outras pessoas na esperança de que estas possam guiá-las pela vida. Esse papel pode ser assumido tanto pelo companheiro de vida quanto pelos pais. Não são poucas as pessoas que ainda não se desligaram dos pais. Não arriscam seguir o próprio caminho, dependendo da aprovação dos pais e/ou de outras pessoas para tomar decisões importantes. A criança-sombra nessas pessoas não tem coragem de estruturar a própria vida. Sente-se dependente e pequena. Além disso, carrega um enorme sentimento de culpa quando pensa em se desligar dos pais ou do parceiro.

Para se sentir dependente dos pais e de seu julgamento, nem é preciso ter um bom relacionamento com eles. Algumas pessoas já nem têm mais contato com os pais e mesmo assim se comportam segundo os ditames deles, pois os internalizaram. Eu me lembro de um cliente (vou chamá-lo de Haroldo) que rejeitava os pais por lhe terem proporcionado uma infância extremamente infeliz. Ele morava a centenas de quilômetros deles e os via raramente. Mesmo assim, sua criança-sombra se identificava quase 100% com os valores e atitudes que os pais lhe tinham transmitido, sobretudo o pai autoritário. Para seu pai, a única coisa que importava era o desempenho. Lazer e diversão não tinham valor aos olhos dele. A mãe de Haroldo tinha medo do marido, por isso não conseguia proteger o filho das exigências rigorosas e das punições brutais dele. E, embora o cliente odiasse o pai quando criança, adotou completamente a obsessão do pai por desempenho, sendo incapaz de sequer se distanciar disso com seu ego adulto nas primeiras sessões de terapia. Teve uma ascensão profissional rápida e se matava de trabalhar. Quase nunca se permitia algum prazer, além de não ter uma visão correta de como é possível aproveitar a vida. Carregava em si um grande desejo de relaxar e ser feliz, mas tinha muito medo de se perder e ir parar no lado extremamente oposto a isso caso cedesse um pouco mais a seus desejos. Uma de suas mais importantes estratégias de autoproteção eram, portanto, o controle e a autodisciplina. Haroldo é um exemplo impressionante de como uma pessoa continua sendo uma criança(-sombra) ainda que pareça tomar decisões como um adulto independente e se mantenha a uma grande distância dos pais.

Para muitas pessoas, assumir responsabilidade por elas mesmas e por suas decisões de vida pode se mostrar um problema. Elas depositam a responsabilidade no destino, no parceiro ou nos pais, adequando-se aos ditames e às expectativas deles. Têm medo de decepcionar e de falhar se trilharem o próprio caminho. Além disso, apresentam uma baixa *tolerância à frustração*, ou seja, dificilmente toleram os sentimentos negativos que se instalam quando cometem um erro. Na verdade, ao assumirmos responsabilidade por nossas ações, temos, por um lado, a liberdade de escolha, mas, por outro, também o risco de tomar uma decisão errada e de lidar com isso como um "fracasso pessoal". Nesse sentido, para essas pessoas é mais seguro quando seus protetores lhes dizem o que fazer.

Além do mais, essas pessoas estão tão acostumadas desde crianças a ter outros tomando decisões por elas que, na maioria das vezes, nem sabem o que querem. Costumam estar insatisfeitas e mal-humoradas porque fazem muitas coisas que na verdade não querem fazer. É frequente agirem guiadas por um sentimento de obrigação, não pelos próprios desejos e ideias. Para isso, precisam descobrir quem são e o que querem.

Alguns pais fazem uso de pressão e até mesmo de chantagem. Sinalizam aos filhos que vão expulsá-los de casa se não seguirem as "regras". Nesses casos, para trilhar o próprio caminho, os filhos teriam que romper com a família, de modo que muitos recuam, no intuito de preservar os laços familiares. Além disso, para darem esse passo radical, os filhos precisariam justamente daquilo que os pais, dominadores, reprimiram neles: uma autoconfiança forte. Seja para o bem, seja para o mal (quando os pais se intrometem excessivamente nas decisões de vida dos filhos), surge neles uma grande incerteza quanto a sua capacidade de um dia tomar uma decisão sensata por conta própria.

Da mesma forma, alguns dominadores ameaçam o parceiro com sanções ou com a separação se ele ou ela não dançar conforme sua música, e o parceiro se sente muito dependente para oferecer forte resistência ou para ele mesmo terminar a relação. Mesmo nesse cenário, a criança-sombra do parceiro dependente tem muito medo de não ser capaz de viver sem o outro. Além disso, a criança-sombra de pessoas com a estratégia "eterna criança" logo se sente culpada. Assim, ela sente certa cumplicidade em situações difíceis, a qual muitas vezes é incentivada pelos pais ou pelo parceiro. No entanto, a admissão da culpa torna a relação com os "torturadores" um pouco mais tolerável, e isso faz com que os pais ou o parceiro pareçam melhores do que são. Ao idealizar a relação com os supostos protetores, essas pessoas podem permanecer dependentes deles. Essa idealização as protege do terror de uma separação e/ou de uma discussão difícil. Além disso, a admissão de uma suposta cumplicidade pode recuperar a sensação de controle ou reduzir a sensação de impotência. Um cliente meu, por exemplo, considerava justas quase todas as acusações que a esposa dominante e manipuladora lhe imputava. Ela o criticava o tempo todo e o culpava por sua depressão e por suas crises de enxaqueca. Ao concordar com ela, ele (inconscientemente) mantinha certa ilusão de controle. A alternativa teria sido simplesmente ficar à mercê dos julgamentos injustos.

A estratégia de dourar a pílula para si mesmo encontra estreita relação com a admissão de uma suposta cumplicidade. Tais pessoas gostam de reprimir a dimensão da própria dependência e de proteger o parceiro e os pais. Nutrem um elevado nível de lealdade para com eles, mesmo quando o relacionamento é difícil. Por conta do grande desejo de estabelecer vínculos e da sensação de dependência, elas superam as dificuldades na relação com seu "protetor".

Historicamente, as expectativas sociais eram de que as mulheres dependessem do marido. Em parte, isso ainda se mantém, mas, por outro lado, muitos homens delegam a responsabilidade sobre a própria vida à esposa, esperando que ela cuide de tudo que não tenha a ver diretamente com o trabalho dele – às vezes, até com isso. Há cada vez mais homens dependentes financeiramente da esposa, não porque optaram por ficar em casa para assumir a criação dos filhos, mas porque não se estabeleceram profissionalmente.

Méritos dessa estratégia: Você dá tudo de si para proteger sua criança-sombra e para fazer tudo da melhor maneira possível. É dedicado e faz um esforço tremendo para ser um "bom menino" ou uma "menina bem-comportada". Dá tudo de si para que seus pais se orgulhem de você.

Primeiros socorros: Sua criança-sombra tem um medo exagerado de desapontar e cometer erros. Com a ajuda de seu adulto interior, faça-a compreender que erros fazem parte da vida e que ela pode, sim, falhar. É importante fortalecer seu ego adulto. Você pode conseguir isso praticando como argumentar. Um bom argumento é que você é o responsável por sua felicidade, assim como seus pais são os responsáveis pela deles. Você não veio ao mundo para atender às expectativas de ninguém. Deixe claro para si mesmo que cada decisão que você tomar vai levá-lo um passo adiante em seu caminho. Por outro lado, se você ficar parado, pode até ser que não se perca, mas também não vai chegar a lugar algum. No Capítulo 16, vou lhe mostrar como praticar a argumentação em "Pratique a gestão de conflitos".

Estratégia de autoproteção: fuga, evasão e evitação

Crenças típicas: "Estou à sua mercê", "Sou fraco", "Não tenho valor", "Sou inferior", "Não posso confiar em você", "Ficar sozinho é seguro", "Eu não consigo".

Fuga e evasão são estratégias populares quando se quer evitar um confronto para o qual a pessoa não se sente à altura. Como você já sabe, normalmente empregamos diversas estratégias e as variamos conforme a ocasião. Assim, podemos atacar numa situação e fugir em outra, dependendo de como avaliamos nossas chances de sucesso. Além disso, estratégias como ataque ou fuga não são problemáticas em si, na verdade são reações sensatas e naturais muito úteis para nos proteger dos perigos. O problema reside na definição de perigo. Quanto mais fraca e mais vulnerável nossa criança-sombra se sentir, mais rápido uma situação vai ser classificada como perigosa. Pessoas que subestimam as próprias habilidades por causa de suas crenças podem se encontrar em fuga constante. Fogem do confronto com os próprios medos e com as supostas fraquezas, bem como do confronto com outras pessoas, pois elas poderiam confrontar suas fraquezas.

Via de regra, pessoas que, motivadas pelas experiências da infância, se fecham em casa para se proteger internalizaram a crença de que estar sozinho é uma opção mais segura do que ter contato com outras pessoas. Quando estão sozinhas, elas se sentem não apenas seguras como também livres, já que é só assim que têm a sensação de poder escolher e agir livremente. Assim que outras pessoas se aproximam, a configuração da infância entra em ação, obrigando-as a atender as (supostas) expectativas das outras (falaremos mais sobre isso na próxima seção).

No entanto, você não precisa necessariamente se refugiar na solidão para se afastar de si mesmo e/ou dos outros. Você também pode se refugiar em atividades como trabalho, lazer ou internet. Fugir para atividades cumpre o propósito de nos desviar do problema principal. O próprio refugiado nem precisa ter consciência disso, justamente porque a fuga para essas atividades serve para reprimir as necessidades subjacentes da criança-sombra. Estar permanentemente ocupado oferece à criança-sombra uma excelente distração de suas inseguranças e seus medos. Milhares de pessoas são incapazes de ficar quietas enquanto estão sentadas porque suas crenças negativas se fazem ouvir no silêncio. Elas estressam a si mesmas e a todos ao redor com sua inquietude sem fim. No entanto, o equilíbrio entre o que é saudável e o que é prejudicial também é delicado aqui, portanto a "distração" também pode se mostrar muito útil para nos libertar de estados negativos. Contudo, se a distração piorar o problema em questão em vez de atenuá-lo, encarar o problema diretamente seria uma opção melhor. Mas, para isso, precisamos reconhecer de cara que temos um problema, passo esse que é o mais importante para a sua resolução.

Fortemente associada à fuga e à evasão está a *evitação*. Todos nós, sem exceção, preferimos evitar uma situação ou atividade desagradável. Mais uma vez, é apenas questão da intensidade da pressão que colocamos sobre nós. Gostamos de evitar sobretudo aquelas situações ou atividades que nos causam medo ou desprazer. O problema aqui é que, com a evitação, o desprazer e o medo acabam se tornando mais fortes em vez de mais fracos. A pilha de coisas para fazer que deixamos para depois por causa do desprazer vai ficando cada vez maior, aumentando ainda mais o desprazer. E quanto mais eu desvio do medo, mais ele se potencializa. Ao evitarmos uma situação, acreditamos cada vez mais que não vamos ser capazes de superá-la. Digamos que, em termos técnicos, a evitação confirma nossos sentimentos de medo e desprazer. Além disso, a evitação nos impede de descobrir que somos capazes de superar a situação.

Em contrapartida, ficamos muito orgulhosos de nós mesmos quando conseguimos dar conta de um desafio – apesar do medo. Da próxima vez, vamos ter muito menos medo diante dele.

A *desconexão* é uma forma especial de fuga e evitação na qual as pessoas se refugiam dentro de si, desligando-se internamente. Esse processo geralmente não é consciente, acontecendo muitas vezes como um reflexo. Essa estratégia se origina nos primeiros anos de vida, quando as crianças ainda são incapazes de fugir ou de se defender, restando somente a possibilidade de se retirar internamente e não sentir nada na medida do possível. Na linguagem técnica, essa estratégia é um mecanismo de defesa conhecido como *dissociação*.

Essas pessoas se desconectam internamente ao se sentirem sobrecarregadas pelo contato com outras. As pessoas com quem falam percebem claramente que elas estão ausentes por dentro. Pessoas que tendem a se dissociar não são capazes de impor limites internos ou externos. Ou seja, elas absorvem com intensidade as oscilações e as atitudes dos outros e se sentem responsáveis por elas. Estão com as antenas permanentemente ligadas para captar, o que pode causar nelas um elevado nível de estresse no contato interpessoal. Como há brechas em seus limites, essas pessoas rapidamente se sentem inundadas pela proximidade de outra pessoa. No entanto, para se proteger, elas não se retiram apenas para dentro de si, mas também gostam de se retirar externamente. Sentem-se mais seguras quando estão sozinhas. A criança nelas descobriu que o contato com outras pessoas significa estresse, ou porque não tiveram permissão de se afastar corretamente de pais carentes e fracos, ou porque tiveram pais que as viam como ameaça. Pessoas traumatizadas (mesmo na idade adulta) também apresentam estados dissociativos com frequência.

Méritos dessa estratégia: Faz sentido proteger sua criança-sombra fugindo e se retirando quando você se sente sobrecarregado. Agindo assim, você está cuidando de si e recuperando as forças.

Primeiros socorros: Embora a evasão faça muito sentido como autoproteção, você vai acabar fugindo de "fantasmas" com mais frequência. Você não precisa se esconder. Usando os exercícios deste livro, deixe bem claro à sua criança-sombra que já é hora de parar com isso e, acima de tudo, que ela é capaz de se afirmar e se defender. Quando começar a fazer seus direitos, desejos e necessidades valerem mais, você verá que vai se sentir muito mais à vontade e confiante no contato com outras pessoas.

Uma observação: o medo da proximidade e da sobrecarga emocional

Quando precisa se submeter muito às expectativas dos pais, uma criança não é capaz de se afirmar de maneira apropriada. Em vez disso, ela é treinada a estender suas antenas para poder reagir quanto antes aos ânimos e desejos dos pais. A criança tem muita dificuldade quando os pais não aplicam suas normas com rigor e autoridade, mas sinalizando à criança que ficam *decepcionados* quando ela não se comporta de acordo com os desejos deles. Uma criança cuja mãe reage com tristeza quando ela não atende suas expectativas não tem nenhuma possibilidade de se distanciar da mãe. A criança se compadece com a tristeza da mãe e se sente culpada e responsável pelo sofrimento dela. É por isso que ela faz "de bom grado" o que a mãe quer para deixá-la feliz e satisfeita. Por outro lado, uma criança cuja mãe reage com raiva quando suas expectativas não são atendidas tem maior probabilidade de pensar mal dela e de, com isso, manter distância, ainda que internamente.

Pessoas com medo de criar laços chegam com frequência até mim em busca de terapia. Elas encontram dificuldade em se afirmar de maneira saudável e, por isso, logo se sentem pressionadas com a proximidade do parceiro. Não são raros os casos em que, durante a infância, o pai ou a mãe dessas pessoas (geralmente a mãe) as sobrecarregava emocionalmente. Essa mãe, por exemplo, se mostrava decepcionada se a criança preferisse brincar com os amigos em vez de ficar em casa com ela. Tomás (39 anos) é um bom exemplo disso: a mãe sofria muito por causa do pai, que a tratava mal e mantinha relacionamentos extraconjugais. Ela vivia triste. O pequeno Tomás queria muito consolar a pobre mãe e acabava cada vez mais assumindo o papel de parceiro substituto dela, especialmente porque a mãe também se queixava do pai malvado. O pequeno Tomás pensava que faria bem à mãe se ficasse ao lado dela. Por conta disso, ele frequentemente deixava de brincar com os amigos à tarde para alegrar a mãe. Dessa forma, ele não aprendeu a estabelecer limites saudáveis nem a deixar que a mãe se responsabilizasse pelos próprios problemas pessoais. Com isso, ele acabou desenvolvendo crenças que incluíam "Não posso abandonar você", "Sou responsável por sua felicidade", "Preciso estar sempre ao seu lado", "Não tenho vontade própria". Já adulto, ele só conseguia tolerar certo nível de proximidade com a parceira. Quando a namorada estava no mesmo cômodo, ele logo tinha a sensação de que estava se perdendo. Só se sentia livre e tranquilo de verdade quando estava sozinho. É por isso que, após momentos de intimidade, sempre voltava a se distanciar. O estresse gerado pela presença de cada uma de suas ex-namoradas acabou mudando também seus sentimentos por ela. O amor inicial fazia com que duvidasse de que ela realmente fosse a mulher certa para ele. É por isso que ele muitas vezes encontrava refúgio no trabalho, às vezes também em flertar ou se envolver com outras mulheres, ou terminava o relacionamento e procurava uma namorada "melhor". Até que, em dado momento, ele se deu conta de que sua busca sem fim pela "mulher certa" tinha pouco a ver com as supostas deficiências das mulheres, mas com o fato de que ele mesmo sofria com o medo de estabelecer vínculos.

Na terapia, Tomás desfez as projeções na mãe e aprendeu que também era capaz de se sentir um homem livre dentro do relacionamento. Para isso, teve que aprender a se afirmar e a trazer os próprios desejos e necessidades para dentro da relação. A criança nele internalizou que só era possível ter um relacionamento *aceitando-o como ele é*, e não *o moldando ativamente*. E quanto mais Tomás ia se dando conta de que não estava simplesmente à mercê da namorada, mas de que tinha direitos no relacionamento, mais ele pôde aproveitar a intimidade com ela em vez de fugir.

Caso especial: o refúgio no vício

Comida, álcool, cigarros, drogas e remédios. Tudo isso consola a criança-sombra, que anseia por proteção, segurança, tranquilidade e recompensa. Consumo, trabalho, jogos, sexo e esportes também podem ser vivenciados como se fossem vícios para nos distrairmos das preocupações e dos problemas. O vício está primariamente relacionado à nossa sensação de prazer. As drogas, sejam elas químicas ou comportamentais, liberam o neurotransmissor dopamina, o chamado "hormônio da felicidade". Quando cedemos a um vício, nos livramos de sensações de desprazer e produzimos sensações de prazer. Somos imediatamente recompensados pela substância ou pelo comportamento, ou então sensações de desânimo se instalam na forma de sintomas de abstinência se não conseguirmos obter a substância ou nos comportar de determinada maneira. No entanto, sensações de prazer e de desprazer são a base de nossa motivação, e é exatamente isso que torna tão difícil se livrar de um vício. Afinal de contas, de certo modo, a vida se resume a evitar desprazer e obter prazer. Estamos o tempo todo em busca de felicidade, o que nos deixa propensos a vícios. As consequências negativas duradouras se encontram em algum ponto no futuro, podendo, então, ser facilmente reprimidas. Ou o viciado já sofre as consequências de seu comportamento – gordura no fígado ou bronquite crônica, por exemplo –, mas mesmo assim não consegue abandonar o vício porque a ideia de viver sem a droga é um gatilho para sensações de medo e desprazer ou mesmo para dor física.

Hoje em dia, a dependência química, como o alcoolismo, é considerada um "distúrbio metabólico" porque altera o cérebro, exercendo, assim, uma influência muito negativa sobre a força de vontade. Os sintomas de abstinência podem ser tão ruins ou o desejo tão grande que a força de vontade simplesmente desmorona.

Alguns pesquisadores, como Gene M. Heymann, psicólogo da Escola de Medicina de Harvard, argumentam que o vício não é uma doença, mas uma "dependência como escolha" (*disorder of choice*). Um argumento plausível para isso é que, segundo alguns estudos epidemiológicos, cerca de metade dos dependentes químicos consegue se livrar da dependência em algum momento. Pessoas acometidas por distúrbios metabólicos, como esquizofrenia, Alzheimer ou diabetes, não têm essa escolha.

Heymann argumenta que o vício é um comportamento controlado por suas consequências – diferentemente de um comportamento involuntário, que é desencadeado por estímulos, como piscar. O piscar de olhos ocorre automaticamente em resposta a um estímulo, como o flash de uma câmera. Dar uma piscadela, por outro lado, é voluntário e regido por estruturas cerebrais que avaliam as consequências de nosso comportamento. Assim, por exemplo, um homem pondera se seria bem recebido se desse uma piscadela para uma mulher que achou atraente. Nesse sentido, o vício está sujeito às mesmas leis de motivação e de tomada de decisões que regulam nosso comportamento. Esse pressuposto também se apoia no fato de que a maioria dos dependentes químicos renuncia a seu comportamento quando os custos de seguir adiante com o vício se tornam elevados demais. Ou, ao contrário, eles não largam o vício porque os custos da renúncia parecem ser, em última análise, mais elevados do que os ganhos com a abstinência. Isso também se deve a um fenômeno pérfido do vício: quanto mais tempo este durar, mais os comportamentos alternativos perdem o encanto.

Especialmente no vício, há uma enorme discrepância entre as opiniões do adulto interior e os sentimentos da criança-sombra. O adulto interior geralmente sabe muito bem que seu comportamento é prejudicial e que deve mudá-lo, mas a criança-sombra não abre mão de ser recompensada imediatamente (!) e de se sentir bem imediatamente (!). Vícios por ingestão oral em especial, como compulsão alimentar, álcool e tabagismo, exercem um efeito extremamente reconfortante e tranquilizante sobre a criança interior. Por meio da associação profunda com o seio materno, ainda que inconsciente, os vícios por ingestão oral satisfazem muito bem as necessidades que toda criança tem de ser nutrida, cuidada e acolhida. Contudo, os vícios não são atraentes apenas para a criança-sombra em busca de consolo e distração, mas também para a criança-sol à procura de diversão, aventura e emoção. É por isso que não só as pessoas que desejam aliviar suas dores e se distrair de seus problemas caem no vício, mas também aquelas que simplesmente estão atrás de um barato, prazeres e aventuras. A questão é que a criança interior possui uma tendência natural para o excesso. A criança sempre quer fazer o que lhe oferece mais comodidades. O problema é que a conveniência pode resultar em vício, já que o condicionamento dos hábitos e do cérebro faz com que o viciado perca o controle sobre seu vício. A pior coisa no vício é que quanto mais tempo ele dura, menos esperança o viciado tem de se livrar dele. Em algum momento, até mesmo seu adulto interior vai pensar: "Eu não vou conseguir!"

Geralmente, só é possível deixar um vício quando a criança-sombra sente que as recompensas a longo prazo são mais atraentes do que a satisfação a curto prazo. Muitos dependentes químicos conseguem largar o vício quando, por exemplo, passam por uma mudança positiva na vida, como um novo emprego ou um novo amor. É por isso que muitos programas de desintoxicação se baseiam no princípio de minimizar os benefícios a curto prazo e tornar os objetivos a longo prazo mais atraentes. Não foram poucos os fumantes que largaram o cigarro graças a leis antitabagistas porque os benefícios imediatos do tabagismo foram consideravelmente restringidos, tendo sido obrigados a fumar na chuva e no frio. Em minha opinião, o fator decisivo no abandono de um vício é que as pessoas tenham aqueles sentimentos que as motivem a mudar o comportamento, tais como admitir o medo das consequências a longo prazo, em vez de reprimi-las, e antecipar a alegria de viver e o alívio que surgem quando se consegue abandonar o vício. Na seção "Observação: estratégias de reflexão contra o vício", na página 210, vou mostrar a você algumas medidas com as quais a criança e o adulto interiores podem se motivar a abandonar seus vícios.

Méritos dessa estratégia: A maioria dos viciados são pessoas muito divertidas quando nos habituamos a elas. Beber, fumar, comer, etc. proporcionam e desencadeiam um bocado de prazer. Além disso, as tentações espreitam por todo lado. Realmente não é fácil resistir o tempo todo. Afinal de contas, você só deseja estar bem.

Primeiros socorros: Infelizmente, o problema é que a maioria dos vícios também cobra um preço elevado, o que faz com que muitas vezes você se sinta culpado e chateado. Você se vê diante de um dilema atroz:

por um lado, o vício, que pelo menos deixa você feliz a curto prazo, e, por outro, o medo de suas consequências. De início, você pode simplesmente buscar compreender a si mesmo e seu vício. Já é bastante coisa sofrer desse comportamento. Você não precisa se flagelar culpando a si mesmo. Sua criança-sombra está carente e precisa de afeto e atenção.

Estratégia de autoproteção: narcisismo

Crenças típicas: "Não tenho valor", "Não sou ninguém", "Sou uma porcaria", "Sou um fracasso", "Não devo sentir nada", "Tenho que conseguir tudo sozinho", "Nunca tenho o suficiente".

Segundo o mito grego, o jovem e belo Narciso se apaixonou por si mesmo quando viu o reflexo de seu rosto na água e pelo resto de seus dias sofreu de um amor insaciável. Um narcisista é, portanto, uma pessoa que é apaixonada por si mesma e que se vê como a mais grandiosa e importante do mundo. Na verdade, a demonstração da própria grandiosidade e infalibilidade é apenas uma estratégia de autoproteção que ela desenvolveu inconscientemente a fim de evitar sentir sua criança-sombra ferida.

Pessoas que desenvolvem uma personalidade narcisista aprenderam cedo a reprimir a criança-sombra, que se sente inútil e miserável, obtendo para si um segundo eu ideal. Esse *eu idealizado* é construído fazendo todo o possível para ficar acima da média. Narcisistas fazem um esforço tremendo para ser especiais, porque sua criança-sombra sente exatamente o oposto. Para manter sua criança-sombra sob controle, eles estão sempre atrás de desempenhos extraordinários, poder, beleza, sucesso e reconhecimento. O narcisismo consiste, portanto, num conjunto completo de estratégias de autoproteção. Infelizmente, depreciar os outros figura entre essas estratégias. Dessa forma, narcisistas possuem um faro apurado para detectar as fraquezas dos outros, as quais eles gostam de apontar na forma de críticas cáusticas. Os narcisistas não são capazes de tolerar as próprias fraquezas e, com isso, também não as toleram nas pessoas à sua volta. Contudo, ao se concentrarem nas fraquezas alheias, perdem de vista as suas próprias. Com suas críticas, desencadeiam nos outros os sentimentos que eles próprios não querem sentir: incerteza e inferioridade profundas. Nos narcisistas, o princípio da inversão agressor-vítima se mostra especialmente evidente.

Alguns narcisistas, porém, também escolhem a estratégia oposta para se enaltecer. Eles idealizam as pessoas próximas a eles. Nesse caso, exibem o parceiro legal, os filhos incríveis e os amigos importantes. Muitos também fazem as duas coisas: tanto idealizam quanto desvalorizam. Muitas vezes um novo conhecido ou um novo amor é inicialmente idealizado para depois ser depreciado e deixado de lado.

Não importa se os narcisistas estejam mais propensos à idealização ou à desvalorização, eles gostam de exibir suas habilidades, posses e realizações. E não necessariamente fazem isso com alarde e barulho. Há também os *narcisistas silenciosos*, não raro intelectuais, que exibem sua superioridade e singularidade com discrição.

No entanto, narcisistas também têm suas facetas adoráveis. Eles podem ser extremamente charmosos, amáveis e interessantes. Alguns têm um carisma excepcional. Sua busca por sucesso costuma levá-los longe no trabalho e lhes conceder elevada reputação. Ou seja, seus esforços para serem especiais muitas vezes também dão frutos. E isso acaba atraindo outros narcisistas, bem como pessoas com uma estrutura de dependência emocional. Uma parceria entre dois narcisistas é, na maioria das vezes, uma volta numa montanha-russa de paixão e agressões mútuas. Por outro lado, se o parceiro do narcisista tiver uma natureza mais dependente, vai aguentar a maioria dos ataques verbais deste sem oferecer muita resistência, além de se esforçar para atender suas expectativas. É um projeto fadado ao fracasso, pois, não importa o nível de obediência da conduta do parceiro, seu comportamento não altera a distorção perceptiva do narcisista. Essa distorção da percepção consiste na ampla supressão das próprias fraquezas, aliada a uma percepção aumentada de pequenas e supostas fraquezas do parceiro. Quando o narcisista entra nesse estado de percepção, seu olhar se concentra, por exemplo, no nariz um pouco grande da parceira, enquanto as qualidades dela desaparecem de seu campo de visão. Essa suposta fraqueza enfurece o narcisista porque a função da parceira é vangloriá-lo. Ela deve ser perfeita, tal como ele.

Nenhum parceiro tem a mais remota chance diante da capacidade do narcisista para detectar fraquezas, mas parceiros dependentes acabam convencidos de que, se fossem melhores e mais bonitos, o narcisista ficaria mais satisfeito com eles. Essa é uma típica falácia da criança-sombra e não se verifica apenas em relações com uma estrutura marcadamente narcisística. Muitas pessoas tendem a ficar deprimidas ao ser criticadas, por mais injustas ou irreais que as críticas sejam. Por causa de suas influências interiores, sempre têm a sensação de serem culpadas ou de não serem boas o suficiente. Isso acontece mesmo quando o adulto interior dessas pessoas já reconheceu há muito tempo que o parceiro é narcisista e que não é culpa delas se ele sempre as deprecia, pois a criança-sombra não toma conhecimento disso e permanece presa em seus sentimentos de inferioridade, que são reforçados pelas críticas do narcisista. Para se curar, a criança-sombra deseja desesperadamente obter o reconhecimento do narcisista e se esforça ainda mais para agradá-lo. Mas o narcisista não muda e o dependente emocional se enxerga como ineficiente e impotente, reforçando ainda mais sua percepção de dependência. Um círculo vicioso.

Narcisistas também são colegas de trabalho e chefes impopulares, dadas sua ambição extrema e sua sede de poder. E sua irritabilidade dificulta ainda mais as coisas no trato com eles. Quem vê de fora fica confuso, pois os narcisistas parecem se sentir ofendidos com todo tipo de coisa inofensiva ao mesmo tempo que transmitem uma imagem inabalável de confiança. Só que a criança-sombra deles, profundamente insegura, reage com irritação extrema em vez de tristeza. Raiva e ressentimento estão entre as emoções dominantes nas pessoas narcisistas. Entretanto, elas também caem em estados extremamente depressivos às vezes, quando suas estratégias de sucesso falham e fazem com que experimentem uma derrota pessoal. A criança-sombra então cai em profundo desespero, porque agora sente-se totalmente inadequada e ruim. A fim de proteger sua criança-sombra, o adulto se esforça para voltar a ser bem-sucedido, fazendo uso de suas antigas estratégias, mas o sofrimento às vezes é tão grande que ele pode vir a se matar. Na melhor das hipóteses, ele procura terapia e aprende a aceitar e a consolar a criança-sombra de modo a se sentir compreendido e ter seu valor reconhecido sem que para isso precise fazer algo de especial.

O narcisismo é uma estratégia de autoproteção que todos nós empregamos; é o grau com que essa estratégia é usada que vai determinar se tal pessoa é "narcisista". Em menor grau, todos nós utilizamos estratégias narcisistas de defesa: queremos aparentar ser os melhores e, para isso, por vezes também depreciamos um pouco as outras pessoas. Também gostamos de nos exibir um pouco. E ninguém consegue ficar totalmente imune a pensamentos de autoprestígio. Nosso olhar às vezes também se concentra nas fraquezas dos outros. Também sentimos vergonha quando nosso parceiro nos "desonra". Fazemos todo o possível para não sentir nossa criança-sombra e esconder nossas fraquezas, reagindo com irritação à rejeição e à crítica.

Méritos dessa estratégia: Você faz um esforço tremendo para alcançar bons resultados em suas atividades e ter boa aparência. Isso demanda uma boa dose de força e empenho. Você provavelmente é bem-sucedido em muitas coisas e pode se orgulhar disso.

Primeiros socorros: Sua estratégia de autoproteção consome muita energia e leva a frequentes situações de conflito com outras pessoas. Lembre que todos os seus esforços para ser especial não curam sua criança-sombra. A cura só vai ser possível quando você finalmente se aceitar. Pare de lutar contra suas supostas fraquezas e aceite que você é apenas um ser humano como qualquer outro. Só assim vai poder relaxar – talvez pela primeira vez na vida.

Estratégia de autoproteção: disfarce, encenação e mentiras

Crenças: "Não posso ser eu mesmo", "Tenho que me adequar a alguém", "Sou ruim", "Não sou bom o bastante", "Ninguém me ama", "Não tenho valor".

Todos nós seguimos normas e regras sociais em maior ou menor grau e nos esforçamos para nos adequar a elas. Nas interações cotidianas há uma variedade de rituais sociais que seguimos de maneira automática. Não podemos nem queremos nos comportar o tempo todo e com todo mundo de maneira totalmente aberta e autêntica. Certa dose de reserva e "disfarce" é saudável, natural e socialmente aceitável. O problema está em entrar num personagem e se esconder atrás dessa máscara. A pessoa que se relaciona mal com seus sentimentos e com sua criança-sombra se vê presa em uma "concha" em seus relacionamentos. Um cliente que tinha esse problema uma vez me explicou que, quando saía para o trabalho, se via como uma legenda de uma foto genérica: *Homem de terno se encaminha ao escritório*. Ele mal conseguia se perceber e uma vez se classificou como um ator num teatro. Sua criança-sombra era condicionada a se adaptar e a atender às expectativas alheias. Pessoas como esse cliente costumam dizer que simplesmente "desempenham sua função" nas interações pessoais. Elas exibem um comportamento ensaiado, interpretam um papel social e usam uma máscara. Não se atrevem a ser autênticas. O medo de serem rejeitadas e serem atacadas é muito grande. Elas raramente dão sinal externo de insegurança.

Mesmo aquelas pessoas que têm algum acesso a si mesmas e a suas emoções muitas vezes sentem a necessidade de desempenhar determinado papel na companhia de outras pessoas. Escondem as próprias necessidades e se adaptam aos desejos dos outros. Algumas não ousam sair de casa quando estão em um dia ruim, pois se sentem muito vulneráveis e querem mostrar ao mundo somente seu lado forte e alegre. É uma estratégia que tem muito em comum com a obsessão por harmonia e o perfeccionismo.

Usar uma máscara como condição para sair de casa tem seu custo, mas o medo de ter que lidar com a rejeição é mais forte do que a falta de ar sob esse manto. A criança-sombra dessas pessoas está condicionada a fingir e se adequar. Não são poucas as pessoas que não se atrevem a ser autênticas sequer com o parceiro. Elas sempre acham que precisam esconder partes de si. Se possível, querem mostrar ao parceiro apenas seu "eu apresentável", acreditando que, se fossem autênticas e fizessem valer seus desejos e suas necessidades, sobrecarregariam o relacionamento. Mas é justamente o contrário: a autenticidade é o que torna o relacionamento empolgante e vivo. Por outro lado, alguns relacionamentos estão estagnados na encenação. O fato de essas pessoas evitarem conflitos a todo custo também contribui para isso. Por pura pressão para se adequarem, elas não formulam as próprias necessidades. A longo prazo, desenvolvem o sentimento de que sempre saem prejudicadas no relacionamento, o que gera frustração, que elas ficam remoendo por dentro. Uma raiva gélida vai se acumulando cada vez mais nessas pessoas, o que também acaba esfriando os sentimentos pelo parceiro. O relacionamento se torna estagnado e maçante, até que não resta mais nenhuma faísca e elas acabam rompendo, sem que quase nenhuma palavra ofensiva seja proferida.

Pessoas que se hiperadequam e encenam um personagem não conseguem ser sinceras. Para isso, precisariam deixar cair o véu da autoproteção e fazer valer seus desejos e opiniões. Mesmo que não mintam de maneira ativa e contumaz, muitas vezes é difícil determinar o que estão pensando. Não é justo terminar uma amizade ou uma parceria sem ao menos informar ao outro as razões. É igualmente injusto apresentar ao outro um "acerto de contas final" no término da relação se, durante a parceria ou a amizade, essa pessoa raramente se queixava. Nesse contexto, me vi muitas vezes surpreendida com o fervor de algumas pessoas ao se descreverem como sinceras e honestas embora não ousassem falar abertamente com o próprio parceiro ou com um amigo próximo.

Méritos dessa estratégia: Você dá o melhor de si para ser amado e reconhecido. Faz um esforço tremendo para mostrar somente seu melhor lado. Você tem uma elevada capacidade de adaptação e autocontrole.

Primeiros socorros: Sua criança-sombra está bastante desanimada. Ela acha que teria que ser diferente para ser amada. Diga a ela que é um absurdo pensar assim. Seu adulto interior deveria tratá-la com muito amor e benevolência para que ela tenha coragem de ser ela mesma. Em situações corriqueiras, pratique ater-se mais a si mesmo, a suas opiniões e a seus desejos. Você vai ficar surpreso quando perceber como isso é bem-visto.

Esse foi o panorama das estratégias de autoproteção mais importantes. Cabe relembrar que essas estratégias costumam ser a verdadeira causa de nossos problemas. Como escrevi no início do capítulo, é importante reconhecer suas estratégias individuais, que podem não ter sido listadas aqui. O próximo exercício vai ajudar você nisso.

Exercício: Descubra suas estratégias de autoproteção

Suas estratégias de autoproteção podem ser diferentes em cada área da vida. Há quem se proteja de agressões no trabalho se desdobrando para atender a todas as demandas mas, ao chegar em casa, discuta por qualquer ninharia. No entanto, geralmente dispomos de algumas estratégias-padrão que usamos em todos os momentos e desafios. Via de regra, os perfeccionistas agem de maneira quase impecável em todas as áreas da vida; pessoas muito fechadas fogem da maioria dos problemas (evasão). É por isso que muitas vezes percebemos nossas estratégias de autoproteção e as dos outros como uma espécie de caraterística pessoal. Por exemplo, se alguém se protege usando de evitação ou encenação, dizemos que é um tipo fechado. A estratégia narcisista é outra intimamente associada à personalidade da pessoa.

A maioria de nós também tem uma ou outra crença que já é uma estratégia de autoproteção em si, como "Tenho que agradar e me comportar bem" ou "Não posso cometer erros".

Para identificar rapidamente suas estratégias mais importantes, você pode simplesmente imaginar duas ou três situações das últimas semanas em que se sentiu desconfortável e pensou: "Tenho um problema com isso." Pode ser um conflito no trabalho, uma situação em que seu parceiro se irritou ou tirou você do sério. Com esse pequeno exercício de memória, você logo vai notar quais são as situações que costumam se repetir na sua vida e que volta e meia lhe causam problemas. Você parte para o ataque? Você se retrai? Você se modifica para atender expectativas?

Identificadas suas estratégias, anote-as em torno dos pés da criança na ilustração (veja a parte interna da capa do livro). Formule as estratégias com frases inteiras e seja o mais específico possível. Por exemplo, em vez de apenas "Evasão", escreva "Evito conflitos" ou "Não falo o que penso" ou, ainda, "Eu me refugio na internet". Na maioria das vezes, as estratégias de autoproteção podem ser descritas por comportamentos específicos. Elas atuam no campo das ações. Portanto, anote suas estratégias individuais da seguinte maneira: "Vou para a garagem e fico um bom tempo mexendo no carro", ou "Compro muitas coisas desnecessárias", ou "Invento histórias, minto".

Depois de registrar suas estratégias na ilustração da criança, você vai se ver diante daquela parte de sua configuração emocional que sempre lhe causa problemas: sua criança-sombra.

A criança-sombra está sempre com você

Como dito anteriormente, todos os problemas que enfrentamos na vida e para os quais contribuímos de algum modo podem ser associados à criança-sombra. Simples assim. Mas a maioria das pessoas tem dificuldade em acreditar nisso. De fato, não é fácil entender que na maioria esmagadora dos casos a criança-sombra, com suas crenças simplórias, se esconde atrás de nossos problemas aparentemente *tão* distintos e *tão* complexos. É o que percebo em meus clientes repetidamente.

É o caso de Bia (27 anos), que na décima sessão de terapia me relatou um problema que tivera com a melhor amiga na semana anterior. Quando falei que tudo isso já estava na sua ilustração da criança, ela reagiu com surpresa. Então revimos mais uma vez suas crenças e suas estratégias de autoproteção e só então ela se deu conta (novamente!) de que, na verdade, eram apenas variações do mesmo tema. Por causa do sentimento de inferioridade de sua criança-sombra, que carregava a crença "Não sou boa o bastante", Bia se ofendia com a menor das críticas e reagia se fechando.

Portanto, mesmo que já tenhamos nos entendido com nossa criança-sombra, pode ser que nos esqueçamos dela no dia a dia. Por isso podemos não nos pegar no flagra quando estivermos percebendo nosso entorno através dela e agindo segundo nossos padrões antigos. Você se perde e vai parar tão longe de si mesmo, por assim dizer, que acaba caindo nas suas projeções.

É você quem constrói sua realidade!

Se quiser sair da sua configuração da infância – em outras palavras, se quiser ser mais feliz –, precisa aceitar que é você mesmo quem constrói sua realidade, juntamente com sua criança-sombra e suas crenças. Ou seja, seus problemas (com exceção daqueles que são caprichos do destino) resultam da percepção subjetiva que você tem de si e de seu entorno. *Tudo o que você precisa entender agora é que você é livre para moldar sua percepção, seus pensamentos e seus sentimentos.* Você provavelmente não acredita em mim. É que muitas vezes experimentamos nossos sentimentos como vigorosos e inevitáveis. E estamos habituados desde a infância a acreditar que há *uma única* realidade, ou seja, a *nossa*. Por isso, tenha em mente em que medida suas crenças negativas influenciam seus sentimentos e até que ponto suas estratégias de autoproteção permeiam seu cotidiano.

A razão para que essas influências da infância atuem tão profundamente e funcionem como óculos subjetivos é que nosso cérebro aprende por *condicionamento*: quanto mais se repete um pensamento, uma ação ou um sentimento, mais verdadeiras essas coisas vão se tornar, ou seja, mais profundamente serão registradas como conexões neuronais estímulo-reação em nosso cérebro, em nossa consciência. Por meio da repetição habitual de pensamentos, sentimentos e fatos, os circuitos neuronais em nosso cérebro vão se tornando estradas cada vez mais largas, ao passo que para pensamentos, sentimentos e ações alternativos só dispomos de uma pequena trilha, na melhor das hipóteses.

Por isso, insisto: você mesmo constrói sua realidade, e esse processo se desenrola de forma automática e inconsciente até que você se dê conta dele. Quando isso acontecer, você será capaz de mudar sua realidade e, junto com ela, seus pensamentos, seus sentimentos e suas ações. As mais recentes pesquisas científicas sobre o cérebro comprovam isso, não há nada de místico nessa afirmação. Nos próximos capítulos, vamos ver como realizar essa mudança e como moldar sua realidade de forma construtiva. Mas, antes de nos dedicarmos à criança-sol e a suas estratégias de reflexão, vamos aceitar, consolar e talvez até curar a pobre e ferida criança-sombra.

CAPÍTULO 14

CURE SUA CRIANÇA-SOMBRA

Nosso maior medo é tomar decisões erradas e cometer erros. Fazemos um esforço enorme para agir corretamente e não nos perdoamos com facilidade. A questão é que muitas pessoas acham que *elas são* o erro. Têm o sentimento subjacente de que não são boas o suficiente e por isso precisam mudar algo em si. Esse sentimento resulta da criança-sombra e de suas crenças negativas. Pobre criança. Leva uma existência sombria, acreditando ter algo errado com ela. Sente-se incompreendida e abandonada por quem já cresceu, ou seja, pelo adulto interior, da mesma maneira que talvez tenha se sentido antes em relação aos pais (ou a outras crianças). No entanto, quanto menos aceita e acolhida ela se sente, pior é sua situação. Já está mais do que na hora de sua criança-sombra encontrar consolo e compreensão.

Vamos ver agora alguns exercícios para ajudar você a curar ou pelo menos consolar sua criança-sombra. Como dito anteriormente, é de vital importância que você sempre deixe claro para seu adulto interior que todas essas frases e todos esses sentimentos pequenos e ruins não são nada mais que o resultado das influências da infância, e não a verdade. É possível que você ainda não acredite em mim, mas farei de tudo para que isso fique cada vez mais claro no decorrer deste livro.

Já entendemos que, por causa de nossa criança-sombra e de suas estratégias de autoproteção, ferimos a nós mesmos e, às vezes, outras pessoas. Por isso é tão importante você separar a criança-sombra do ego adulto para poder se regular e se controlar melhor. Isso exige que você sempre *se pegue no flagra* quando permitir que a criança-sombra guie seus sentimentos e ações. Porque somente quando você se flagra é que pode sair do modo criança-sombra e passar para o modo ego adulto. A proposta dos exercícios a seguir é regular a percepção, o pensamento e os sentimentos. São exercícios de *autogestão*.

O importante aqui é assumir a responsabilidade por seu processo de mudança, o que exige fazer os exercícios e praticá-los no dia a dia. Quanto mais você praticar, mais fixamente as novas influências e os bons sentimentos vão ser registrados em seu cérebro. É como ensaiar uma dança: no início, você precisa de muita concentração, de muito esforço, mas com o tempo os movimentos se gravam cada vez mais em sua memória corporal, até que, no fim, fluem automaticamente.

Exercício: Encontre ajuda dentro de si

Num de meus seminários, um participante relatou ter muita dificuldade em enfrentar tudo sempre sozinho. Ele só queria ter alguém do seu lado em momentos de dificuldade. Ao ouvir isso, Karin, uma querida amiga e também terapeuta, respondeu que ele não precisava lidar sozinho com os desafios e prosseguiu contando sobre uma amiga sua, chamada Rahmée. Nascida em Camarões, Rahmée foi para a Alemanha quando ainda era muito pequena e, ao crescer, tornou-se uma empresária de sucesso. Ela nunca vai sozinha tratar de negócios com parceiros alemães e internacionais. Junto com ela vão a avó, a matriarca da família; o avô; os anciãos da tribo e o tio, o curandeiro de sua aldeia natal. Essa imagem mental lhe concede a força de que necessita para se fortalecer internamente contra o preconceito que, infelizmente, alguns parceiros de negócios ainda têm contra sua cor de pele.

Para mim, esse autofortalecimento é tão convincente quanto mágico, por isso o compartilho aqui: encontre você também ajudantes e apoiadores internos para estarem ao seu lado em momentos difíceis. Pode ser uma única pessoa ou um grupo, como no caso de Rahmée. Você pode imaginar pessoas reais, mesmo que já tenham falecido, ou mesmo seres imaginários, como uma fada ou o Superman. Permita que seus ajudantes surjam de sua imaginação. Você também pode escolher amigos diferentes para situações diferentes, de acordo com a competência deles e com suas necessidades.

Sempre que precisar de apoio, basta imaginar que eles estão ao seu lado. Experimente fazer isso durante os exercícios a seguir.

Exercício: Fortaleça seu ego adulto

Para curar sua criança-sombra, você precisa de um adulto interior forte e solidário, capaz de entender que suas crenças negativas são simplesmente o produto de suas influências da infância. Nossa mente racional tem a capacidade de elaborar argumentos lógicos, formando uma estrutura estável em que encontramos força e segurança. Retomarei esse assunto diversas vezes. Para começar, veja alguns argumentos e fatos que você pode guardar na memória para estabelecer uma pequena distância entre sua criança-sombra e seu ego adulto:

- Nenhuma criança vem ao mundo com maldade. Não há crianças más.
- As crianças podem ser irritantes e cansativas, mas isso não muda o valor delas. É de responsabilidade dos pais, antes de se tornarem pais, pensar bem se querem assumir o estresse de criar um ser humano.
- As crianças na verdade *precisam* ser irritantes, porque são impotentes e necessitam de alguma forma sensibilizar os adultos para que atendam suas necessidades fundamentais. A configuração delas é "Sobreviva!", "Cresça!", "Aprenda!".
- Se estiverem sobrecarregados, os pais devem procurar ajuda. Isso não cabe às crianças.
- É direito de toda criança ter suas necessidades físicas e emocionais atendidas. Os pais ou cuidadores são os responsáveis por isso.
- Sentimentos e necessidades são fundamentalmente normais e corretos, mesmo que uma criança precise aprender a não externá-los assim que surgem.
- Cabe aos pais compreender os sentimentos e as necessidades da criança. Não cabe à criança entender e atender os sentimentos e necessidades dos pais.

- Cabe aos pais amar e acolher a criança neste mundo, e não à criança se comportar de determinada maneira como condição para que os pais a amem.
- Muitos dos comportamentos considerados cansativos em crianças são admirados em adultos: interesses "estranhos" se tornam "interessantes", "teimosia" se torna "perseverança" e assim por diante. Assim, também cabe aos pais tolerar essas caraterísticas e direcioná-las no rumo certo. Sufocá-las é sinal de incompetência parental.

Você tem toda a liberdade de ter pensamentos como esses, com base em sua história de vida, suas crenças pessoais e de acordo com sua situação. Pratique argumentos. Como eu disse, os argumentos fornecem força e apoio ao adulto interior.

Uma dica: quando pensar ou falar sobre si, tente se distanciar um pouco de seu problema, evitando pensamentos como *"Eu tenho medo de ser rejeitado/ abandonado/ ridicularizado/ etc."* e preferindo *"A criança-sombra em mim tem medo de..."*. Costumo exercitar isso com meus clientes, o que ajuda bastante a manter uma pequena distância entre eles e seu problema. Esse tipo de formulação evita que você se identifique por completo com sua criança-sombra.

Exercício: Aceite sua criança-sombra

É uma lei psicológica que quanto mais estresse e desgaste vivenciamos, mais lutamos contra nós mesmos. Muitas pessoas passam a existência inteira numa luta permanente contra si mesmas. É desgastante e infrutífero. A autoaceitação é o pré-requisito para a descontração e o crescimento. Que fique claro: aceitar-se não é achar que tudo em nós é bom, mas acolher tudo em nós. É o contrário de se odiar e se enganar. É aceitar nossos sentimentos, tanto os positivos quanto os negativos, como parte de nós. É aceitar que eles podem ser sentidos como são. E autoaceitação é reconhecer nossos pontos fortes mas também nossas limitações, pois somente quando os reconhecermos é que seremos capazes de aceitá-los e, caso assim desejemos, trabalhá-los – afinal, autoaceitação não é o mesmo que estagnação.

Para o exercício a seguir, feche os olhos e se conecte com sua criança-sombra. Você pode fazer isso listando mentalmente suas crenças negativas e as sentindo por dentro, mas talvez ache mais fácil acessar sua criança-sombra simplesmente pensando numa situação em que ela é ou foi muito ativa. Talvez um incidente da infância, em que você se sentiu envergonhado, incompreendido, solitário ou injustiçado; talvez uma situação da vida adulta, em que sua criança-sombra se sinta muito mal. Sinta o sentimento. É provável que você se depare com companheiros de longa data, como medo, incerteza, tristeza, pressão ou raiva. Entre em contato com esses sentimentos, respire fundo no abdômen e diga a si mesmo: *Aqui está minha criança-sombra. Ela é assim, minha querida criança-sombra. Agora você pode ficar aqui do jeito que você é. Seja bem-vinda.*

Você vai ver que quanto mais a aceitar, mais calma ela vai ficar. Vai se sentir finalmente vista, acolhida e compreendida.

Exercício: O adulto consola a criança-sombra

Vamos avançar um passo. O objetivo neste exercício é que o ego adulto faça sua criança-sombra entender que as crenças e os sentimentos negativos são falhas em sua configuração.

Seu adulto interior vai adotar uma postura benevolente e parental para com a criança-sombra. Uma foto antiga sua de quando você era criança talvez possa ajudar. Se você estiver encontrando dificuldades em adotar uma postura amorosa, imagine uma criancinha triste e assustada. Talvez ela esteja com medo de que as outras crianças não queiram brincar com ela. Como você poderia consolá-la? Dizendo "Não precisa disso, sua chorona"? Ou a encorajando e a levando pela mão até as outras crianças? Provavelmente a segunda opção. Você pode adotar essa postura bondosa e amigável ao lidar com sua criança-sombra. Ou seja, pratique a benevolência consigo mesmo. A benevolência não apenas é a essência do vínculo que une as pessoas como também é muito importante para que você estabeleça a paz com sua criança-sombra.

A partir dessa postura de benevolência, adote uma voz simpática e se dirija a sua criança-sombra. Pode falar em voz alta, é até mais eficaz. Mas, se isso parecer bobo demais, pode apenas mentalizar a voz.

1. Agora o adulto interior explica à criança-sombra como as coisas eram com os pais. Você pode fazer conforme o exemplo a seguir (utilizando informações da sua vida, é claro): *Ah, minha pobre criança... As coisas não foram fáceis para você com papai e mamãe. Mamãe estava sempre muito cansada e estressada. E muitas vezes ela ficou doente. Você sempre teve a sensação de que tudo era demais para sua mãe suportar, por isso sempre foi gentil e se comportou bem, para não sobrecarregá-la ainda mais. Mas você nunca conseguiu deixar mamãe feliz de verdade. Ela estava triste a maior parte do tempo. E papai não ajudava nunca. Sempre brigava com mamãe e com você. Mas, quando estava de bom humor, ele era tão divertido! Quando isso acontecia, você ficava muito feliz e o que mais queria era que ele continuasse de bom humor. Mas o bom humor nunca durava muito e ele já voltava a brigar. Papai e mamãe estavam infelizes na relação deles, por isso viviam estressados e sobrecarregados, e aí você chegou a conclusões bem bobas. Você pensa "Não sou bom o bastante", "Tenho que agradar e me comportar bem", "Sou um fardo"...* (Leia as crenças fundamentais que você tinha a respeito de si.)
2. Ao falar com sua criança, use palavras do repertório infantil para que fique claro que você está falando com ela. Se sua mãe era dominante, por exemplo, prefira dizer que mamãe era "mandona". Palavras como "depressivo" ou "agressivo" também não pertencem à linguagem das crianças e devem ser substituídas por "triste" ou "zangado".
3. Neste passo, você vai transmitir à sua criança a mensagem mais importante: de que aquilo tudo não era culpa dela e que, se mamãe e papai não estivessem tão sobrecarregados, ela teria chegado a conclusões totalmente diferentes. Você poder dizer algo como: *É muito importante para mim que você entenda que nada daquilo era culpa sua! Mamãe e papai é que cometeram os erros, não você! E, se mamãe e papai não estivessem tão sobrecarregados ou se você tivesse tido outros pais, você saberia que é boa/bom o bastante do jeito que é. Saberia que eles têm muito orgulho de você. Eles amam você, mesmo que você às*

vezes faça birra. E é normal que você dê um pouco de trabalho, mas eles gostam de cuidar de você.

Você pode adaptar as frases a seu contexto de vida, seus problemas e suas crenças negativas. O objetivo não é seguir o texto ao pé da letra, mas compreender o sentido geral. A ideia é fazer sua criança-sombra entender, com ajuda do seu ego adulto, que as crenças negativas dela são totalmente arbitrárias e *não* refletem de modo algum seu valor real.

É claro que você também pode fazer este exercício se teve uma infância predominantemente feliz e se seus pais aparentemente cometeram poucos erros. Nesse caso, você pode iniciar a conversa explicando o seguinte: *Minha querida criança-sombra, papai e mamãe acertaram em muitas coisas e os amamos muito, mas eles poderiam ter feito um pouco mais/um pouco menos de...*

É de suma importância que de agora em diante você tome cuidado para que sua criança-sombra não assuma mais o controle de suas ações. A criança-sombra pode estar assustada e desanimada, pode preferir se distanciar ou mesmo agredir, mas é o adulto quem determina o que vai ser feito. É a mesma coisa que na vida real. Se a criança tem medo de ir ao dentista, por exemplo, o pai, a mãe ou o cuidador amoroso a pega pela mão e a ajuda a enfrentar a consulta. Ele/ela não vai deixar que o medo da criança fale mais alto e cancelar a consulta. Também não vai permitir que ela deixe de ir à escola porque não está com vontade. Você pode agir do mesmo modo com sua criança-sombra: escute com atenção seus medos e suas preocupações, mas, no final das contas, é você quem decide, de modo racional e sensato, o que vai ser feito.

A propósito, converse com sua criança-sombra quantas vezes forem necessárias para que ela entenda a mensagem. Não precisa ser nada demorado. Quando se deparar com uma situação difícil em seu dia a dia e se flagrar preso em suas crenças negativas ou se deixando levar por medo, raiva, desespero ou outro sentimento negativo, pode ser suficiente fazer um cafuné em sua criança-sombra, consolando-a ainda que só em pensamento. Você também pode confortá-la e encorajá-la com algumas palavras, o que cria certa distância entre a configuração da infância e a realidade do adulto e, assim, impede que seja acionada sua configuração automática. Esse pequeno distanciamento entre a percepção de sua criança-sombra e seu adulto interior permite que você reflita sobre seus padrões de comportamento, criando oportunidades de tomar decisões novas.

Exercício: Reescreva lembranças

Como já vimos, as experiências que tivemos com nossos pais ou com outras figuras centrais em nossa vida deixam rastros em nossa memória, formando um filme de lembranças que é codificado em nosso cérebro por meio das interconexões das sinapses. Às vezes pequenos gatilhos são capazes de nos lançar de volta a uma lembrança antiga, ainda que ela surja inconscientemente (como o que aconteceu com Miguel e o refrigerante esquecido). Algumas lembranças se encontram tão arraigadas em nosso cérebro que na mesma hora recaímos em nosso padrão antigo, repetidamente. Mas podemos reformular esses filmes.

Nosso cérebro não distingue bem percepção de realidade. Para sentir medo, por exemplo, basta imaginar uma situação estressante, como uma prova a fazer. Você também pode usar a imaginação para remodelar lembranças negativas. É tecnicamente possível, para o cérebro, reescrever – e isso ajuda na cura de feridas antigas. Assim mudamos um pouco nosso passado e, com isso, também os sentimentos negativos que vêm à tona com ele. Como disse Erich Kästner: "Nunca é tarde demais para viver uma infância feliz."

O exercício a seguir costuma ser usado na terapia do esquema. Eu o peguei emprestado do livro *Schema Therapy in Practice* (Terapia do esquema na prática), de Gitta Jacob e Arnoud Arntz.

Você deve se lembrar de pelo menos uma situação da infância, se não várias, que foi no mínimo desfavorável, quando não angustiante, assustadora ou até traumática. Situações que talvez tenham sido típicas do modo de criação de seus pais ou de seu cuidador.

1. Escolha uma situação concreta de sua infância que esteja relacionada às influências de sua criança-sombra. Não é necessário imergir totalmente nessa lembrança caso ela evoque sentimentos muito dolorosos. Se, digamos, seu pai maltratava você, imaginar como esse pai levantava a mão já é suficiente, não precisa reproduzir a cena por completo. Mas você deve adotar a chamada "perspectiva de campo", ou seja, se ver nessa lembrança não de fora, mas através dos olhos da criança que era na época.
2. Sinta exatamente o que você sentiu naquela situação (lembrando que não precisa se aprofundar no sentimento). Por exemplo, se sentiu medo, basta sentir na memória um pouco desse medo.
3. Agora, imagine-se sendo ajudado nessa situação. Visualize uma pessoa entrando em cena e indo em seu auxílio. Pode ser uma pessoa real, como uma tia ou uma avó querida, mas também pode ser um personagem fictício, como o Superman ou uma fada. Não há limites para a imaginação neste exercício. Até você mesmo, já adulto, pode aparecer e intervir. Algumas sugestões de como reescrever essa situação:

- Se seu cuidador (pai, mãe, avó, etc., mas, para simplificar, vou chamar apenas de cuidador) era muito irritável, você pode imaginar um ajudante aparecendo e explicando a ele que não pode tratar você assim. Seu cuidador é enviado à terapia e a partir daí você está sempre acompanhado de uma boa fada madrinha.
- Se seu cuidador era ameaçador, você pode imaginar que a polícia ou um herói de cinema chega e o coloca na cadeia.
- Se seu cuidador estava triste e deprimido com frequência, de modo que você cuidava dele quando criança, uma pessoa do juizado de menores pode chegar e garantir que você (criança) possa ir brincar, pois ela vai cuidar de seu cuidador vulnerável. Agora a criança conta com uma pessoa confiável e protetora, que, lembre-se, pode ser real ou imaginária.
- Se seu cuidador era muito rígido e exigente, seu ajudante vai explicar a ele que as crianças também devem ser elogiadas e ensiná-lo a se colocar no lugar de uma criança. Neste caso, o cuidador ganha um coach, que vai estar ao lado dele a todo instante e ajudar a proteger a criança, isto é, você.

Assim você vai conseguir criar um final feliz graças aos recursos da sua imaginação. É claro que esse exercício também é muito indicado para lembranças dolorosas que não estejam relacionadas a seus pais ou cuidadores.

Exercício: Estabeleça vínculo e segurança para a criança-sombra

Este exercício é destinado às necessidades de amor e de conexão que tanto crianças quanto adultos têm. Para isso, você vai intensificar em sua mente as experiências positivas de conexão com seus pais ou outras pessoas próximas. Vai imergir uma vez mais em momentos de bondade, amor, aconchego e carinho que viveu com seus pais e/ou cuidadores. Mergulhe nesse cenário e abra espaço para os sentimentos de proteção, segurança, confiança e pertencimento. Sinta a conexão. Sinta novamente como é ser muito amado e desejado.

Caso não encontre na memória nenhum momento de muita proximidade com seus pais ou outras pessoas próximas, você pode recorrer a pais imaginários. Permita que sua imaginação lhe dê de presente os pais de que você precisou quando criança – eles podem ser pessoas reais, como talvez os pais de um amigo próximo, ou personagens imaginários. Feche os olhos e permita que seu inconsciente lhe dê pais amorosos.

Visualize seus novos pais muito felizes com você. Permita que eles ajam exatamente como você teria gostado que agissem naquela época. Dê um novo lar para si mesmo. Você pode evocar seus novos pais sempre que precisar.

Exercício: Escreva uma carta para sua criança-sombra

Para este exercício, pode ser útil ter à mão uma foto sua de quando era criança. Você vai escrever uma carta para sua criança-sombra como um pai ou mãe amorosa escreveria a uma criança com quem se importa e a quem deseja consolar. Alguns exemplos:

Querida Rafa,

Você é uma menina muito legal e me dá muito orgulho. Sinto muito que se preocupe tanto com seu corpo. Para mim, você não precisa ser perfeita. Eu te amo do jeitinho que você é. E vejo muitas coisas bonitas em você! Você é a menina mais doce que eu conheço. Por favor, pare de se comparar com garotas famosas e colegas de escola. Olhe à sua volta e perceba que poucas mulheres e garotas da vida real são como as fotos e os vídeos que você vê na internet. Você não precisa se preocupar com isso!

Com muito amor,

Sua querida Rafa Adulta, que te ama muito

Querido Jorge,

Você se preocupa demais. Tem um medo terrível de fracassar e de cometer gafes sociais, por isso está sempre a todo vapor, não só no trabalho mas também em seu tempo livre. Quero lhe dizer que você não precisa se desgastar tanto. Você é bom o suficiente do jeitinho que é. E tudo que você faz, faz bem, mesmo quando não se esforça tanto. Suas crenças negativas, tais como "Não sou bom o bastante" ou "Tenho que conseguir tudo sozinho", vêm do passado, dos seus pais. Sei que as coisas não foram fáceis para você. Sua mãe estava sempre estressada e seu pai nunca estava em casa. Você fazia de tudo, mas nunca conseguiu fazer sua mãe feliz de verdade. Ela vivia exausta e infeliz, e você achava que tinha que ser um menino ainda melhor. Era por isso que se esforçava tanto na escola. Mas, olha, você não tinha culpa pela infelicidade da sua mãe. Ela precisava de ajuda, mas você não tinha obrigação nem condições de ajudá-la. Ela estava sempre tão triste porque a criança-sombra dela também estava cheia de dúvidas sobre si mesma. Sua mãe também sempre achou que não era boa o bastante. Mas hoje é tudo muito diferente. Somos adultos e livres! Vamos finalmente curtir a vida! Você não precisa ser sempre o melhor em tudo. Relaxe e volte a jogar futebol, já que sempre gostou de fazer isso. Vá se divertir um pouco. Isso é muito melhor para seu bem-estar do que se matar de trabalhar.

Com muito amor,

Jorge

Exercício: Compreenda sua criança-sombra

Este exercício também vai ajudar você a enxergar o que é a percepção da sua criança-sombra e o que é a percepção do seu adulto interior, de modo que você tenha mais liberdade para tomar decisões e agir.

1. Escolha um problema que você esteja enfrentando com alguém ou consigo mesmo. Em seguida, pegue duas cadeiras e as posicione uma de frente para a outra. Sente-se numa delas e entre no modo criança-sombra. Fale sobre seu problema, tomando exclusivamente a perspectiva da criança-sombra. Deixe que ela fale sobre seus sentimentos e crenças que têm relação com o problema. Perceba conscientemente como seu problema soa quando você o conta e o vivencia a partir da perspectiva da criança-sombra.
2. Agora saia do modo criança-sombra e entre no modo adulto interior. Para "enxotar" sua criança-sombra, você pode dar uns tapinhas no corpo ou alguns saltos. Já no modo adulto, sente-se na outra cadeira. Dessa posição, observe a criança-sombra que estava sentada na cadeira à frente havia pouco e analise seu problema com sua mente crítica.

Um exemplo: Bárbara sofre de crises de pânico. Ela tem medo de se deslocar a pé ou de carro, pois acha que vai se descontrolar ou desmaiar. Peço a ela que entre completamente no modo criança-sombra e me descreva seu problema a partir daí.

A criança-sombra de Bárbara diz: "Quando me imagino sozinha na rua, imediatamente entro em pânico. Eu me sinto pequena e desamparada. Fico com um medo terrível de cair. Morreria de vergonha se isso acontecesse. Sem contar que é perigoso, eu poderia até morrer. Ninguém nunca me ajuda. Quero que minha mãe me ajude a sair de casa. Sozinha eu não consigo!"

Agora eu peço a Bárbara que mude de cadeira e entre no modo adulto.

O ego adulto dela diz: "Eu vejo uma menina que tem medo de andar com as próprias pernas. Objetivamente falando, ela não corre nenhum risco. Mesmo que desmaiasse – o que é muito improvável –, sem dúvida alguém na rua a socorreria. Não, acho que, na verdade, o problema é que essa menina se considera incapaz de se virar sozinha ou sem a mãe. A meu ver, fica claro que ela ainda não se desligou dos pais. Ela queria alguém que tomasse conta dela e assumisse a responsabilidade por ela. Não se sente autossuficiente nem à altura de enfrentar as dificuldades da vida. Acho que preciso cuidar melhor dela. Ouvir mais vezes como ela se sente..."

Com essa dinâmica de diálogo das cadeiras, fica claro para Bárbara que por trás de seu medo de sair de casa sozinha se escondem medos antigos de quando era criança. Ela se dá conta de que vinha reprimindo sua criança-sombra, que anseia por afeto e apoio, mas agora poderá refletir sobre seu forte apego aos pais e trabalhar ativamente essa questão para se tornar autossuficiente e ganhar mais autoconfiança.

A maioria das pessoas tem dificuldade em separar sua criança interior de seu adulto interior. Por exemplo, na posição da criança, elas falam como adultos e dizem coisas que uma criança pequena nunca formularia, e vice-versa. Com Bárbara foi assim no início; o diálogo da cadeira reproduzido aqui foi resumido e adaptado. Por exemplo, no modo de criança-sombra, Bárbara disse: "Eu sei que meus medos são exagerados." Essa avaliação racional, entretanto, partiu de seu ego adulto. Por outro lado, na posição do adulto, ela disse "Queria ficar escondida em casa", um desejo que partiu da criança-sombra. Talvez você esteja se perguntando por que a Bárbara adulta desejaria ficar escondida em casa. A resposta é que a criança-sombra dela tem medo de não ser capaz de se virar no mundo lá fora. A Bárbara adulta gosta muito de estar cercada de pessoas, mas seus medos a impedem.

Na verdade, não é fácil distinguir com clareza a parte que pertence à criança da que pertence ao adulto. Por isso, certifique-se de estar falando e se sentindo como uma criança quando estiver na posição de criança. E tenha muita atenção ao analisar seu problema de forma objetiva quando adotar a posição de adulto.

Você também pode fazer este exercício por escrito, já que assim às vezes é mais fácil manter a distinção entre as duas partes.

Exercício: As três posições da percepção

Este exercício anda de mãos dadas com o anterior. Na verdade, ele deve ser encarado mais como uma ferramenta para estruturar sua realidade. As três posições da percepção formam uma base firme sobre a qual você vai poder resolver seus problemas e regular suas emoções. No começo, você pode praticar as três posições da percepção mudando de posição no cômodo. Aos poucos, procure mudá-las mentalmente, para poder acessá-las a qualquer momento e em qualquer lugar.

Imagine um conflito frequente que você tenha com determinada pessoa. Por exemplo, pode ser que você vez ou outra ache que seu parceiro não o enxerga nem o leva a sério. Ou que seu chefe sempre exagera na quantidade de trabalho que deixa na sua mesa. Ou que sua colega pede ajuda a todo instante, mesmo que você esteja com trabalho até o pescoço, etc.

1. Escolha um cômodo e fique de pé em determinado ponto. Adote a posição da criança-sombra e analise por esse olhar o problema que você costuma ter com Fulano. Perceba conscientemente como a criança-sombra sente o problema e quais crenças vêm à tona.
2. Dando uns tapinhas no corpo ou pulando, afaste a criança-sombra. Em seguida, vá para outro ponto do mesmo cômodo e assuma o papel de Fulano. Observe a si mesmo e a situação do ponto de vista dele. Como ele se sente em relação a você?
3. Vá para um terceiro ponto no mesmo cômodo e observe vocês dois. Entre no modo adulto e analise a situação de fora. Perceba a si mesmo e Fulano como se fossem atores num palco. Pense quais conselhos você daria à sua criança-sombra.

Perceba que a criança-sombra rapidamente se julga inferior nessa dinâmica e transforma Fulano em inimigo. Da perspectiva da criança-sombra, é necessário *se proteger, atacar, se justificar ou fugir.*

Outro exemplo da minha prática: Germano, de 69 anos, namora Miranda, de 65, há alguns anos. Algumas crenças da criança-sombra dele são "Não devo me defender", "Tenho que me adequar a você" e "Não posso ser eu mesmo", o que levou a uma enorme necessidade de fuga como estratégia de autoproteção. Sua criança-sombra quer fugir para se sentir livre. Ou seja, Germano tem medo de estabelecer vínculos. Numa sessão de terapia, ele me contou que tinha (novamente) se irritado com Miranda: o plano original dele era ir direto para casa após uma curta viagem com amigos numa noite de domingo, mas seu filho Manuel, já adulto, o convidou a passar uma noite em sua casa, que ficava próxima de onde Germano estava. Germano então ligou para Miranda para avisar que chegaria um dia depois do previsto. Na segunda-feira, seu outro filho, Bernardo, foi visitar Manuel e os dois pediram ao pai que ficasse mais uma noite. Germano gostou da ideia. Mais uma vez, ele ligou para Miranda, avisando da nova mudança nos planos. Miranda "começou a resmungar" e Germano ficou tão irritado que por pouco não terminou com ela (novamente).

Trabalhei com Germano as três posições:

- Posição 1: A criança-sombra: "Quem é ela para querer mandar em mim? Não posso fazer o que quero? Tenho que atender as vontades dela? Cadê a flexibilidade? Que raiva!"
- Posição 2: Germano se coloca no lugar de Miranda: "Que frustração. Eu estava ansiosa para encontrá-lo no domingo à noite, depois mudou para segunda-feira. Agora ele só vai chegar na terça. Ele só faz o que quer. Não tenho direito a opinar em nada. É sempre *ele* que determina se quer estar perto de mim ou não."
- Posição 3: O Germano adulto: "Poxa, não é a Miranda quem sempre quer mandar em tudo, eu é que sou assim! Insisto em fazer tudo do meu jeito. Quando mudo de planos em cima da hora, Miranda tem que aceitar sem reclamar e mesmo assim eu me julgo injustiçado. Droga."

Ao usar a lógica para separar essas três posições da percepção, Germano conseguiu enxergar seu problema a partir de um ângulo completamente novo e muito mais apropriado. Na maior parte de seus dias ele se encontra na primeira posição, ou seja, totalmente identificado com sua criança-sombra. Dessa primeira posição, ele não consegue enxergar um palmo à sua frente. Sente compaixão apenas por si mesmo e não demonstra empatia com

Miranda. Da posição da criança-sombra, ele se sente como a pobre vítima. Nas segunda e terceira posições, por outro lado, consegue reconhecer seu papel na situação e perceber que é ele quem reivindica poder demais, não a namorada. Essa percepção modifica seus sentimentos, o que o leva a adotar novos comportamentos – no caso, chegar a mais acordos com Miranda. Para aplicar este exercício no dia a dia, ele combinou com Miranda que ambos façam uma pequena pausa em situações intensas.

Germano é do tipo que, para proteger sua criança-sombra, cria uma barreira entre si e as supostas reivindicações alheias cortando ou reduzindo o contato. Pessoas como ele ocupam a primeira posição da percepção grande parte do tempo.

Já aquelas que recorrem à obsessão por harmonia e à hiperadequação para proteger sua criança-sombra costumam ter o problema contrário: têm dificuldade em estabelecer limites e se distanciar, geralmente sem conseguir sair da segunda posição da percepção, ou seja, ocupam-se demais com os desejos e expectativas alheios. Elas precisam aprender a identificar o que realmente querem e o que é importante para si. Isto é, precisam aprender mais a impor limites. Este livro traz várias sugestões para conseguir isso.

CAPÍTULO 15

DESCUBRA A CRIANÇA-SOL EM VOCÊ

A criança-sol é um estado emocional que todos adoram! Mas o que exatamente é a criança-sol? Em primeiro lugar, é a capacidade de se entregar ao aqui e agora. A criança-sol adora se divertir e jogar conversa fora, além de ser curiosa e espontânea. Ela não pensa muito sobre si e gosta de ser quem é. Ela também não se compara com outras crianças, pois seu olhar não está voltado para dentro, mas para o mundo lá fora. Como não fica o tempo todo se observando, também não está preocupada com a impressão que deixa nas outras crianças. Ela pode desatar a rir, pular, cantar, saltar ou curtir a vida, mas também se concentrar em trabalho e estudo.

Todos nós temos o potencial de nos alegrar e nos divertir como uma criança descontraída na forma da criança-sol em nós, ainda que raramente lancemos mão disso. Lembre-se de como você era capaz de se entregar à brincadeira e às gargalhadas na infância. Lembre-se da sua curiosidade e do seu espírito de aventura. Recupere a espontaneidade e a desenvoltura com as quais você enxergava o mundo. Reflita sobre como você se comparava pouco com as outras crianças. Conscientize-se de que os padrões que você tem hoje sobre o que é feio ou bonito, certo ou errado, sucesso ou fracasso quase não tinham importância em seus pensamentos de criança: as coisas simplesmente eram como eram. Lembre-se dos momentos felizes com sua família e de como você se divertia com seus amiguinhos.

Se quiser trilhar novos caminhos e se libertar de seus modelos antigos, não vai ser de muita serventia se propor a não mais acreditar em sua configuração antiga. Você precisa de uma *nova* visão na qual acreditar. Uma meta para a qual se orientar e à qual se ater. Algo que possa colocar no lugar do antigo. Para isso, vamos repetir o exercício que fizemos com nossa criança-sombra, só que agora você vai descobrir sua criança-sol. Desta vez, vamos atrás de suas *crenças de apoio* e nos voltar para seus *pontos fortes*. Além disso, vamos identificar seus *valores* pessoais, que podem oferecer apoio e acompanhamento para novas atitudes e comportamentos. Por fim, vou ensinar você a moldar seus relacionamentos de maneira mais saudável e sustentável, apresentando alternativas para suas estratégias de autoproteção. Vamos chamá-las de *estratégias de reflexão.*

Queremos que sua criança-sol se desenvolva ao máximo. Mas não estamos falando de reinventar você do zero, pois a maior parte de quem você é já é boa e correta. Lembre-se sempre: você é uma estrela brilhante desde o dia em que nasceu. Queremos mudar apenas as atitudes e comportamentos que geram problemas para você mesmo e, às vezes, para as pessoas ao seu redor. Contudo, antes de avançar para os exercícios, eu gostaria de dizer mais algumas palavras sobre nossa responsabilidade para conosco.

Você é responsável por sua felicidade

Na maior parte do tempo, vivemos na ilusão de que outras pessoas, eventos e circunstâncias desencadeiam sentimentos em nós. No nosso primeiro exemplo, Miguel também achava que Selma era a culpada por sua raiva, afinal, ela é que tinha esquecido de comprar o refrigerante. A maioria de nós sente e pensa como Miguel. Quando nosso parceiro acorda de mau humor, ficamos para baixo; quando recebemos um elogio, ficamos animados; quando somos criticados, ficamos desanimados ou chateados; quando estamos num engarrafamento, ficamos estressados. Entendemos nossos sentimentos e estados de espírito como algo desencadeado por forças externas, sejam elas pessoas ou acontecimentos. Essa percepção faz com que, equivocadamente, responsabilizemos outras pessoas ou o destino por nossos problemas e por nosso estado de espírito. Achamos que nosso parceiro infiel é o culpado por nosso mal-estar, ou nosso chefe temperamental, ou a menopausa, o clima, o carro quebrado, e por aí vai. Na verdade, somos nós os responsáveis por nosso estado de espírito e, obviamente, por nossas decisões; ambas as coisas têm uma ligação estreita. Afinal de contas, cabe a nós mesmos determinar a postura e a atitude que tomamos diante dos acontecimentos. Assim, em vez de ficarmos derrotados por uma traição, podemos nos reerguer do baque dispostos a novas experiências amorosas. O chefe temperamental pode nos ajudar a treinar a empatia. A menopausa pode ser um momento empolgante de mudança. Podemos aceitar o clima com tranquilidade. O carro quebrado pode ser uma oportunidade para nos mexermos mais e/ou adquirirmos um carro melhor. Podemos aceitar todos esses incidentes como um bom exercício de paciência e serenidade.

Talvez você ache isso tudo um pouco absurdo e exótico, afinal, quem é que consegue se manter de bom humor em toda e qualquer circunstância? Honestamente, eu também não creio que isso seja possível. É pouco provável que alguém consiga se manter incólume ao comportamento daqueles à sua volta ou a reveses pessoais, por mais que já tenha refletido ou meditado. Por outro lado, temos muito mais liberdade e opções para moldar nossos sentimentos, pensamentos, estados de espírito e ações do que presumimos.

No entanto, só podemos influenciar nosso estado mental se reconhecermos nossa responsabilidade por ele. Muitas vezes não nos damos conta de que delegamos essa responsabilidade. Vejo isso acontecer com alguns clientes que alimentam a falsa esperança de que eu seja capaz de resolver seus problemas. Chegam pontualmente às sessões, na expectativa de que eu faça qualquer coisa que os exima de seu sofrimento. Mas não é assim que funciona. Na psicoterapia, as pessoas não podem ser "tratadas" como na medicina. Se a pessoa esperar se submeter à terapia de maneira passiva – no sentido de que o terapeuta realiza todo o trabalho e o cliente o aceita como um serviço prestado –, não vai apresentar nenhum progresso. Os clientes que assumem pouca responsabilidade por si mesmos podem até chegar a bons entendimentos no decorrer de uma sessão, mas não vão implementá-los. Em contrapartida, outros clientes se dedicam ativamente a seus problemas entre as sessões, observando, refletindo, exercitando novos comportamentos e assim por diante. Estes progridem rapidamente, enquanto os outros correm sem sair do lugar. E você pode agir exatamente assim com este livro: pode apenas lê-lo e esperar que qualquer coisa melhore ou pode assumir a responsabilidade por seu processo de mudança e trabalhar ativamente com este conteúdo.

Eu gostaria de lhe pedir que reflita sobre as áreas de sua vida em que você delega a responsabilidade aos outros: em que áreas você acha que outra pessoa precisa mudar para que você se sinta melhor? Em que medida você se imagina dependente e determinado por circunstâncias externas, ou à mercê de seu humor e de seu estado de espírito? Provavelmente seu ego adulto tem algumas ideias de como é possível assumir seu quinhão de responsabilidade para melhorar a situação ou seu estado de espírito. O adulto, por exemplo, sabe que seria melhor mudar de emprego ou, se isso não for possível, mudar sua atitude em relação ao trabalho. O adulto sabe que não faz muito sentido esperar que o parceiro mude e que seria muito mais sensato aceitá-lo como é, ou sabe que poderia mudar o próprio comportamento na relação para, de sua parte, melhorar a qualidade do relacionamento. Talvez o adulto também saiba que seria melhor se separar. Ou talvez você não tenha parceiro e espere que um grande amor vá bater à sua porta qualquer dia desses. Mas cuidado: essa seria a esperança da criança-sombra. O adulto interior saberia que precisa se lançar ativamente nessa busca.

Na maioria das vezes, o adulto sabe o que deveria fazer. É a criança-sombra que tem medo de mudança e mina a energia do adulto, geralmente por medo de fracassar. Ao assumir a responsabilidade por minhas ações, também tenho que me expor ao risco de fracasso. Mas, para isso, preciso de certa tolerância à frustração, ou seja, preciso ser capaz de suportar sentimentos dolorosos às vezes.

Como já ressaltei no início deste livro, é claro que estamos sujeitos a golpes do destino que não são de nossa responsabilidade e que pouco podemos mudar. É o caso de quando um ente querido morre ou quando somos acometidos por uma doença grave. Pessoas que vivem em zonas de guerra e de conflito exercem uma influência muito limitada sobre a própria vida. Nesses casos, obviamente é muito mais difícil encontrar uma atitude interior por meio da qual se possa ter domínio sobre o próprio destino. Porém, mesmo sob as piores circunstâncias, algumas pessoas conseguem chegar a um ajuste interno de maneira a aceitar sua condição e, assim, moldá-la em algum grau, mesmo que tenham que morrer por isso.

Como seus problemas provavelmente são menos dramáticos do que esses, tente encontrar uma atitude em que você seja responsável por sua felicidade – cem por cento responsável por ela. Não espere que os outros mudem ou que "alguma coisa" aconteça. Tome uma atitude na vida e mude o que quiser mudar. Os exercícios a seguir vão ajudar você nesse caminho.

Exercício: Descubra suas crenças positivas

Agora vamos nos ocupar de sua criança-sol. Para este exercício e os próximos, você vai precisar de uma nova folha de papel e canetas ou lápis coloridos.

Desenhe mais uma vez uma silhueta de criança numa folha de tamanho A4. Ao contrário do desenho da criança-sombra, este deve ser colorido, bonito e alegre. A criança-sol vai ser o estado que você almeja e, por isso, deve ser visualmente muito cativante. Isso vai lhe dar motivação e empolgação por novas experiências, portanto faça uma criança-sol bem bonita, como se você quisesse vencer uma competição de desenho. Não deixe de desenhar o rosto e os cabelos e decore a folha conforme seu gosto e sua preferência (veja a ilustração na parte interna da capa).

Agora vamos descobrir suas crenças positivas, em duas etapas: primeiro vamos ver quais crenças positivas você herdou de seus pais/cuidadores e adotou para si e, depois, vamos transformar em positivas as crenças fundamentais que você descobriu em sua criança-sombra.

I. Crenças positivas da infância

Se você tem/teve uma boa relação com seus pais e quer mantê-los junto da sua criança-sol, escreva "mãe" e "pai" ou os nomes de seus cuidadores à direita e à esquerda da cabeça de sua criança-sol. Dessa vez, pergunte-se quais qualidades eles têm/tinham e o que fazem/fizeram de correto. Anote.

Se não desejar ter seus pais junto da sua criança-sol porque a relação com eles é/foi muito difícil, pule toda esta parte do exercício ou anote as qualidades de seus pais numa folha separada e escreva nesta folha somente as crenças positivas que eles lhe transmitiram e que você adotou para sua criança-sol.

Talvez você tenha uma avozinha querida, um vizinho gentil ou um professor compreensivo que tenha sido carinhoso com você na infância. Pode incluir essas pessoas no seu desenho.

Quando tiver terminado de anotar as qualidades de seus pais ou de outras figuras centrais, sinta dentro de si quais crenças positivas você adquiriu deles. Para ajudá-lo, aqui vai uma lista com crenças positivas comuns:

Crenças positivas

Sou amado.
Tenho valor.
Sou bom o suficiente.
Sou bem-vindo.
Tenho o suficiente.
Sou inteligente.
Sou bonito.
Tenho direito à alegria.
Posso cometer erros.
Mereço ser feliz.

A vida é fácil.
Posso ser eu mesmo.
Também posso ser um fardo às vezes.
Posso me defender.
Posso ter opinião.
Posso sentir.
Posso impor limites.
Sou capaz.

Caso tenha encontrado muitas crenças positivas, escolha no máximo duas e as escreva no peito do desenho da sua criança. Assim como fizemos com as crenças negativas, também queremos nos limitar um pouco para facilitar seu trabalho no dia a dia.

II. Invertendo crenças fundamentais

Agora, retome as crenças negativas fundamentais que você identificou na página 64. Vamos transformá-las em positivas. Para crenças como "Não tenho valor" ou "Não sou bom o suficiente", a inversão é clara: "Tenho valor" ou "Sou bom o suficiente". Algumas são um pouco mais difíceis de inverter, pois nas crenças positivas não queremos ter uma negação ("não" ou "nunca"). Por exemplo, se você tem a crença "Sou responsável por sua felicidade", a inversão não seria "Não sou responsável pela sua felicidade". O "não" é complicado demais para ser processado pelo inconsciente, já que é difícil não pensar em algo. Se eu mandar você não pensar num gatinho tigrado, é o que vai surgir automaticamente na sua mente. Portanto, a inversão de "Sou responsável por sua felicidade" poderia ser algo como "Tenho permissão para impor limites" ou "Posso seguir meu próprio caminho" ou "Meus desejos e necessidades são igualmente importantes".

A inversão de uma crença como "Sou um fardo" seria "Também posso ser um fardo às vezes". Afinal, nem sempre conseguimos evitar dar trabalho para outras pessoas, pois é normal ficar doente e precisar de ajuda vez ou outra. O mesmo vale para "Posso cometer erros às vezes".

As crenças positivas também devem ser formuladas de modo que você consiga aceitá-las. Para algumas pessoas, por exemplo, aceitar a crença "Sou bonito" no lugar de "Sou feio" é uma mudança drástica. Nesses casos, recomendo pôr um "o suficiente" depois: "Sou bonito o suficiente" ou "Sou bom o suficiente".

Você pode limitar um pouco suas crenças para deixá-las mais facilmente admissíveis. Se, por exemplo, a crença "Sou importante" parece exagerada e difícil de admitir, você pode escrever o seguinte: "Sou importante para meus filhos/amigos/pais." Formule suas novas crenças de modo que o façam se sentir bem.

Anote suas crenças centrais na ilustração de sua criança-sol.

Exercício: Descubra seus pontos fortes e seus recursos

Além de suas crenças positivas, é importante que você tenha consciência de seus pontos fortes e seus recursos internos. Considero pontos fortes os traços de personalidade e as habilidades que costumam ser úteis a você, como, por exemplo, senso de humor, coragem e competência social. Aqui você pode tranquilamente ser generoso consigo. A expressão "Elogio em boca própria é vitupério" é uma das maiores tolices já inventadas. Caso você tenha dificuldade em dizer coisas boas sobre si, imagine elogios que seus amigos fariam a você. Ou simplesmente pergunte a eles.

Alguns exemplos de traços positivos que você pode identificar em si mesmo:

Pontos fortes

Bem-humorado	Ativo
Franco	Amável
Leal	Generoso
Solícito	Educado
Inteligente	Interessado
Criativo	Equilibrado
Ponderado	Animado
Simpático	Estável
Disciplinado	Divertido
Bonito	Atencioso
Adaptável	Aventureiro
Tolerante	Etc.

Desenhe seus pontos fortes na ilustração da sua criança.

Em *recursos*, queremos reunir, por assim dizer, suas fontes de força, bem como circunstâncias externas que concedem a você apoio e força.

Recursos

Bons amigos	Natureza
Relacionamento estável	Música
Família	Casa bonita
Filhos	Animal de estimação
Bom emprego	Colegas de trabalho legais
Recursos financeiros suficientes	Viagens
Boa saúde	Etc.

Desenhe seus recursos na ilustração de sua criança-sol.

Agora que listamos seus recursos, vamos seguir para seus valores.

Como os valores podem nos ajudar

Por muito tempo se pensou que o ser humano agisse apenas por egoísmo e em benefício próprio, mas pesquisas recentes sobre o nosso cérebro refutaram essa tese. Na verdade, uma pessoa puramente egoísta não teria boas chances de sobrevivência. O ser humano foi concebido para viver em grupo e cooperar com seus semelhantes. Em seu livro *Der Sinn des Gebens* (O sentido do altruísmo), o renomado autor científico Stefan Klein observa que o altruísmo pode ter efeitos no cérebro semelhantes aos do sexo ou do chocolate. Ao sentirmos que nossas ações estão a serviço de valores mais elevados e, nesse sentido, a serviço da comunidade ou mesmo de apenas uma outra pessoa, nos sentimos felizes num nível profundo. Ansiamos por ter propósito no que fazemos. Em outras palavras: uma vida desprovida de propósito leva à depressão. Um dos principais sintomas da depressão é a sensação de falta de propósito generalizada.

O famoso psiquiatra Viktor Frankl concebeu a chamada logoterapia, que significa "terapia do sentido". Ele defendia a ideia de que as pessoas podem superar seus medos pessoais se pautarem suas ações por valores mais elevados e, assim, agirem de maneira mais significativa. Ao servir a um significado e a um propósito mais elevados do que nossa estratégia de autoproteção, conseguimos crescer para além de nós mesmos. Por exemplo, se eu tivesse muito medo de expressar minhas opiniões sinceras a meu superior porque ele talvez me ignorasse na próxima promoção, poderia superar esse medo por meio de valores mais elevados, tendo em mente que, digamos, ao falar francamente, eu poderia impedir que um colega fosse acusado injustamente. Os valores mais elevados da justiça e do civismo, que sustentam essa reflexão, podem me fortalecer para superar o medo que minha criança-sombra tem da perda e da desvalorização.

Valores pessoais são excelentes ansiolíticos – como são chamados os medicamentos que combatem a ansiedade. Nossas ações diárias se baseiam em valores, ainda que muitas vezes não tenhamos consciência deles. Na maioria das vezes, só tomamos consciência de nossos valores quando eles são violados. A justiça, por exemplo, é um desses valores cuja violação pode desencadear uma força tremenda. É por isso que valores mais elevados também podem ser usados consciente e positivamente para encontrarmos força e apoio internos.

Muitas estratégias de autoproteção que deveriam proteger nossa criança-sombra acabam fazendo com que nos encerremos em nós mesmos de maneira um tanto egoísta. Estamos tão ocupados com nossa estratégia de autoproteção que perdemos de vista valores mais elevados.

Um pequeno exemplo do dia a dia: Sabrina está afastada da amiga Maísa porque ela a ofendeu com um comentário sobre seu corpo. Só que Sabrina não quer conversar com Maísa sobre o ocorrido porque acha que assim estaria baixando a guarda, por isso prefere se afastar. A pergunta que Sabrina poderia se fazer é se está sendo justa ao se comportar assim com Maísa. A retidão seria um valor pelo qual Sabrina poderia se pautar para passar por cima de seus complexos. Assim como o valor da amizade, afinal, ela já viveu muitas coisas boas com Maísa. Com a evasão de Sabrina, Maísa não tem chance de ter uma opinião a respeito disso nem se desculpar. Ela não faz ideia de por que Sabrina tem sido tão fria com ela. Se Sabrina tivesse explicado a razão de seu comportamento, uma conversa poderia reaproximá-las e elas talvez ainda fossem amigas. Ao evitá-la sem esclarecer nada, Sabrina desfez a amizade, principalmente porque sua evasão silenciosa também magoa Maísa. Sabrina poderia ter evitado isso se tivesse conscientemente se pautado por valores como retidão, amizade, sinceridade ou mesmo boa educação.

Você talvez esteja se perguntando por que Sabrina deve assumir a responsabilidade pelo problema se foi Maísa quem a ofendeu. Para responder a isso, volto mais uma vez à questão da responsabilidade pessoal: é Sabrina quem se sente ofendida e, portanto, que arca com a responsabilidade por esse sentimento. Nem sabemos se o comentário de Maísa foi de fato ofensivo ou se não passou de uma suposta ofensa, fruto de uma distorção perceptiva da criança-sombra de Sabrina. Caso carregue em si crenças como "Sou feia", "Não sou boa o suficiente" ou "Sou muito gorda", Sabrina pode ter interpretado as palavras de Maísa como uma crítica depreciativa. Talvez Maísa tenha dito apenas "Gostei mais da calça preta que da minissaia!" e Sabrina tenha escutado com os ouvidos de sua criança-sombra, entendendo algo como "Suas pernas são grossas demais para usar minissaia!". Se foi esse o caso, ela se sentiu ofendida sem que Maísa tenha tido a intenção de criticar seu corpo. Talvez a crítica de Maísa se referisse à estampa e ao corte da saia.

Ofensas infundadas, que nem ofensas são, acontecem com bastante frequência. Quanto mais insegura uma pessoa se sentir, mais depressa ela estará propensa a interpretar as palavras ou ações de outras pessoas como crítica pessoal ou rejeição. E é por essa razão que seria muito mais útil para a amizade delas se Sabrina dissesse alguma coisa. Teria bastado pedir a Maísa uma explicação para o comentário. O mal-entendido poderia ter sido evitado.

Além disso, eu gostaria de salientar que nenhuma comunicação pode ser cem por cento perfeita e que as pessoas à nossa volta também não o são, exatamente como nós não somos perfeitos. Pode ser que vez ou outra eu ofenda um amigo sem querer. Ou talvez faça uma crítica com sinceras boas intenções, mas a outra pessoa se sinta muito mais ofendida do que eu esperava. Não temos como estimar com exatidão o que nossas palavras e ações vão desencadear nos outros. Por mais respeitoso e educado que você tente ser, não há garantia de que o outro vai enxergar seus atos e palavras da mesma forma. O que *está* sob nosso controle é falar abertamente quando apropriado.

Portanto, se você se pegar recaindo em uma de suas estratégias de autoproteção, faça uma pausa e se pergunte se realmente está agindo de modo justo para com as pessoas envolvidas. Sempre que seus pensamentos orbitarem em torno de sua estratégia, continue se perguntando se o que você está fazendo ou deixando de fazer é *pertinente*. Tente pautar suas ações menos pela pergunta "Qual a melhor maneira de me proteger?" e mais pelas perguntas "O que é apropriado?" e "O que é construtivo?". Se você fizer essas perguntas sobre sua motivação pessoal, vai poder ir muito além de sua criança-sombra e de seus medos. Isso não só vai ajudá-lo a se entender melhor, mas também fará de você uma pessoa melhor.

Exercício: Determine seus valores

Agora eu gostaria de convidar você a identificar seus valores pessoais que podem ajudá-lo a superar de maneira mais saudável os sentimentos de medo e inferioridade de sua criança-sombra. Quando você se puser a pensar nisso, provavelmente vão lhe ocorrer muitos valores, tais como tolerância, justiça, solicitude. Mas não queremos selecionar mais de três para este exercício, pois, da mesma forma que com as crenças, seus valores devem ser rapidamente acessíveis em seu cotidiano de modo que você possa trabalhá-los da forma mais eficiente possível. O melhor é se limitar a valores que sejam bons antídotos para suas estratégias de autoproteção. Por exemplo, se suas estratégias de autoproteção incluem evasão e obsessão por harmonia, você precisaria de valores que o incentivassem a se defender e a lutar mais por si (e pelos outros). Entre esses valores, poderíamos incluir franqueza, coragem, civismo, retidão, responsabilidade ou decência.

Se, por outro lado, você tem buscado a perfeição e quer sempre fazer tudo certo, então bons "valores equivalentes" poderiam ser serenidade, alegria de viver, fé, modéstia ou até mesmo humildade.

Se entre suas estratégias de autoproteção está a dominação, então valores como confiança, compaixão e democracia podem ajudar você a neutralizar esse impulso.

Procure valores capazes de ajudar você a superar os medos e as preocupações de sua criança-sombra.

Para inspirá-lo nessa tarefa, confira a lista de possíveis valores pessoais que elaborei:

Valores pessoais

Retidão	Alegria de viver	Solicitude
Justiça	Gentileza	Modéstia
Sinceridade	Serenidade	Transparência
Coragem	Atenção plena	Democracia
Civismo	Generosidade	Tolerância
Lealdade	Reflexão	Empatia
Franqueza	Disciplina	Compreensão
Responsabilidade	Sabedoria	Boa vontade
Autenticidade	Educação	Compromisso
Amor ao próximo	Compaixão	Amor
Amizade	Decência	
Confiança	Afeto	

Utilize cores para desenhar seus valores bem acima da cabeça de sua criança-sol. Essa área simboliza que os valores são coisa de quem tem "uma cabeça boa" e fortalecem sobretudo seu adulto interior.

Tudo se resume ao estado de espírito

Novas crenças, valores mais elevados e a consciência de nossos pontos fortes e recursos devem nos ajudar a curar a criança-sombra e a fortalecer a criança-sol. Ambos (cura e fortalecimento) têm muito a ver com sentimentos e estado de espírito. Afinal de contas, todas as crenças boas e os valores superiores por si sós serão de pouca serventia se nosso estado de espírito estiver ruim. Ainda que também seja possível tomar decisões corretas por puro senso de dever, a vida é muito mais fácil se for levada com um "humor elevado", como afirma o psicólogo Jens Corssen em seu livro *Ich und die Anderen* (Eu e os outros). Corssen descreve quanto nosso estado de espírito influencia nossos pensamentos e julgamentos. No estado de humor elevado, sou mais amigável, bem-humorado, bondoso e benevolente, de tal modo que isso não faz bem apenas a mim, mas também à minha sociedade. Por outro lado, se eu não estiver de bom humor, reajo rapidamente com irritação e agressividade ou me recolho em minha concha e me fecho.

Passamos o tempo todo basicamente tentando manter o humor em alta. E um bom estado de humor está intimamente relacionado à nossa sensação de prazer: queremos evitar o máximo de desprazer e obter o máximo de prazer. Dito de forma simples: nós buscamos a felicidade. Os caminhos para a felicidade podem ser muito distintos entre si, mas há coisas essenciais que se aplicam a todas as pessoas. Isso já era do conhecimento dos gregos antigos, que cunharam o conceito da "eudemonia", que literalmente quer dizer "ligado a um bom demônio". Muitas vezes, eudemonia é traduzido como "felicidade" (embora os estudiosos discordem da tradução mais acertada). Para os gregos, eudemonia não era algo a ser alcançado por fatores externos, mas um estado que resultava do modo correto de viver. O modo correto de viver incluía, entre outras coisas, autossuficiência, disciplina e virtude. A eudemonia deve, portanto, ser distinguida do hedonismo, o prazer dos sentidos. A curto prazo, os prazeres sensoriais podem desencadear exaltação, enquanto o "modo correto de viver" leva a uma felicidade mais amena, porém mais prolongada. Platão e outros filósofos de sua época eram tão inteligentes como somos hoje, pois, desde então, nenhum conhecimento relevante novo surgiu. Pesquisas mais recentes sobre o cérebro mostram apenas que os gregos estavam cobertos de razão: a felicidade pode ser treinada e depende essencialmente de nossas atitudes diante da vida. Os budistas não dizem nada de diferente, embora sua atenção se concentre menos na obtenção da felicidade e mais no objetivo de dar fim ao sofrimento. Os budistas também têm uma ideia muito clara da vida real, ensinando o "nobre caminho óctuplo da salvação".

A fim de comprovar cientificamente que a felicidade pode ser treinada, o neurocientista Richard Davidson pediu autorização ao Dalai Lama para fazer uma pesquisa com oito monges de seu círculo mais próximo. Eles teriam que se deitar no tubo estreito de um ruidoso aparelho de ressonância magnética e entrar num estado de relaxamento profundo, o que conseguiram fazer mesmo nessa condição difícil. Com isso, os pesquisadores puderam analisar o cérebro deles durante a meditação e comprovaram que a meditação ativa é capaz de alterar a estrutura cerebral – algo que não deve ter surpreendido o Dalai Lama. A atividade no lobo frontal esquerdo dos monges foi muito mais elevada entre eles do que no grupo de controle, que consistia em 150 pessoas não budistas. Essa área do cérebro é responsável pelo bom humor e o otimismo. Pessoas otimistas têm um córtex frontal esquerdo mais ativo do que aquelas que se sentem infelizes com frequência. Essa região parece proporcionar um ânimo alegre e serenidade, dos quais as pessoas intrinsecamente felizes e os budistas bem treinados dispõem. A conclusão a que esse experimento permite chegar é que a felicidade é uma habilidade que pode ser treinada como um músculo.

Neste livro, vou dar a você muitas dicas e ideias de como alcançar o estado de humor elevado e do que contribui para um "modo correto de viver". Para isso, não só vamos descobrir novos comportamentos por meio das estratégias de reflexão, mas também vamos usar a imaginação e a memória corporal para instalar um novo sentimento: *o sentimento da criança-sol*.

Use a imaginação e a memória corporal!

Para criar o sentimento da criança-sol, seu adulto interior precisa de algumas informações. Como eu disse, nosso cérebro não distingue muito bem realidade de imaginação, daí a imaginação ser uma ferramenta valiosa no caminho para a mudança. A partir de imagens, cores, cheiros, sons e outros elementos sensoriais, nosso cérebro é capaz de fazer associações num piscar de olhos, tanto positivas quanto negativas. Vivenciamos isso o tempo todo. Uma paisagem, uma melodia, uma fragrância, qualquer uma dessas coisas pode evocar mundos inteiros de imagens e emoções. Vamos aproveitar essa capacidade do cérebro criando, de forma direcionada, associações positivas que ajudarão você a entrar rapidamente no modo criança-sol no dia a dia.

Outro ponto importante a compreender é que vamos ancorar a criança-sol nas sensações de seu corpo, já que ele exerce uma influência significativa em nosso estado de espírito. Pesquisas da área da neurobiologia revelaram que não só o humor afeta nossa postura corporal; o inverso também acontece: nossa postura corporal afeta nosso estado de espírito. Se caminhamos eretos, nos sentimos realmente mais confiantes do que se caminhamos por aí cabisbaixos e retraídos. Faça você mesmo o teste: fique de pé, estique os braços acima da cabeça, olhe para o céu e tente se sentir mal. Agora o contrário: retraia a cabeça e os ombros, olhe para o chão e tente se sentir feliz de verdade. Você vai fracassar nos dois casos.

A psicóloga americana Amy Cuddy pesquisou como a postura corporal influencia o estado de espírito. Em seus experimentos, ela descobriu, por exemplo, que tanto mulheres quanto homens se saíam significativamente melhor em entrevistas de emprego depois de passarem dois minutos na chamada postura de poder: de pé, coluna ereta, pernas abertas e mãos na cintura. Se quiser saber mais sobre esse tema, é fácil encontrar on-line a palestra TED Talk de Amy Cuddy.

Exercício: Ancore a criança-sol em você

Com este exercício, vamos ancorar a criança-sol em seus sentimentos, sua mente e seu corpo. Aliás, você pode chamar esta atividade de jogo. A criança-sol vai adorar.

É melhor ficar de pé. Comece colocando a folha com o desenho da sua criança-sol à sua frente no chão e vá tomando consciência de seu corpo. Como está se sentindo? Então concentre sua atenção em seu tronco, que é a sede das emoções.

1. Leia suas crenças positivas em voz alta e perceba os efeitos em seu corpo. O que você sente fisicamente ao enunciá-las?
2. Evoque uma situação que você tenha vivido em que suas crenças positi-

vas foram ou ainda são verdadeiras. Pode ter sido na presença de amigos, no trabalho, praticando esporte, durante uma viagem... Ou talvez apenas ouvindo música ou passando um tempo na natureza. Você já deve ter vivido ao menos uma situação em que sentiu que suas crenças positivas eram verdadeiras e condizentes com a realidade.

3. Acesse mentalmente seus recursos. Acione-os com os seus sentidos – visão, audição, olfato, paladar – e sinta por dentro como eles fortalecem você.
4. Agora, dirija-se a seus pontos fortes. Não apenas pense sobre eles, mas perceba o que seu corpo sente quando você os enuncia em voz baixa. Que sensações eles desencadeiam em você?
5. Hora de seguir para seus valores. Enuncie-os para si mesmo e sinta qual ressonância, quais sensações eles desencadeiam em seu corpo. Sinta como lhe proporcionam força ou até mesmo serenidade.
6. Sinta tudo junto. Como seu corpo sente a criança-sol?

Movimente-se pelo cômodo nesse estado e descubra sua postura de criança-sol. Perceba a sensação em seu corpo inteiro quando você se encontra nesse estado. Tome consciência de como sua respiração flui quando você está no modo criança-sol. Descubra um pequeno gesto que expresse essa sensação, deixe que surja de seu corpo. Esse gesto funciona como uma âncora e vai ajudar você a evocar esse estado benéfico sempre que você precisar. Uma cliente minha abria a mão espontaneamente, formando uma espécie de concha; essa postura relaxada da mão era o gesto da criança-sol que ela usava.

Registre esses sentimentos bons na barriga do desenho da sua criança-sol.

Bônus: permanecendo nesse estado interno benéfico da criança-sol, permita que uma imagem surja desse sentimento. Pode ser que você veja o mar, talvez uma bela paisagem ou, quem sabe, um parquinho ou uma cabana na floresta. Deixe sua criança-sol presentear você com uma imagem. Deixe que ela o surpreenda.

Associe uma palavra-chave à imagem que você recebeu da sua criança-sol.

A criança-sol no dia a dia

O desenho da sua criança-sol (espero que seja bem colorido) representa seu estado ideal, que você poderá usar como meta. Ele também proporciona apoio externo e, se você o fortalecer de forma lúdica, apoio interno. No próximo capítulo vamos descobrir suas estratégias de reflexão.

Por ora, você pode repetir esse último exercício para evocar a sensação de sua criança-sol sempre que possível. Caso não disponha de muito tempo, pode apenas dizer para si suas crenças e/ou seus valores ou se lembrar de seus pontos fortes e seus recursos. Mas lembre que a bela imagem que você criou pode ser o modo mais rápido de entrar no modo criança-sol. Aproveite todo o conteúdo do desenho. Para cada situação em que se encontrar, faça uso do conteúdo que for mais necessário no momento. É muito importante que você sempre reserve um tempinho para sentir os efeitos físicos de suas crenças, seus valores, sua imagem e seus recursos, permitindo que a criança-sol se ancore em seu corpo.

Mas não esqueça sua criança-sombra. Basta um descuido e... opa! Ela pega você de surpresa, lançando-o de volta a seus sentimentos e crenças antigos. Seu adulto interior precisa estar bem alerta, para que você se flagre a tempo caso retorne ao modo criança-sombra. Assim você vai poder recorrer à sua criança-sol ou confortar sua criança-sombra antes que ela faça estrago. Você também pode alternar diretamente para seu ego adulto e, com a ajuda dele, lembrar a si mesmo que esses são sentimentos e projeções antigos, distantes da sua realidade atual.

Deixe bastante espaço livre para que sua criança-sol se desenvolva, o que pode ser feito simplesmente se permitindo mais diversão, alegria de viver e prazer. Tudo o que eleve seu estado de espírito e não prejudique sua saúde nem os outros é permitido. Peça ideias à sua criança-sol. Ela certamente tem muito a contribuir.

A melhor maneira de começar seu dia é com alguns jogos. Para os que vou propor a seguir, você não vai precisar nem de cinco minutos.

Rir é uma tremenda ajuda. Mesmo quando não estamos achando graça de nada. Já foi comprovado que, mesmo quando provocado artificialmente, o riso tem um efeito positivo sobre nosso estado de espírito.

É essa a ideia por trás da ioga do riso. Quando falei sobre isso em um de meus seminários, um participante disse: "Rir atrapalha a minha depressão!" E é isso mesmo. Então, separe uns minutos pela manhã para rir. Apenas rir. Você vai se surpreender quando seu riso de início artificial se transformar num riso autêntico, quem sabe até numa gargalhada de doer a barriga!

O próximo jogo é o seguinte: fique de pé com os braços erguidos, olhe para cima e diga em voz alta suas novas crenças e valores. Se quiser, relembre também seus pontos fortes e recursos.

Depois, dê uns pulos e permita que seu corpo relembre movimentos da infância, como agitar os braços, balançar o bumbum, fazer careta, etc.

Você também pode "malhar" seu humor pela manhã. Dance ao som de uma boa música ou salte numa cama elástica (eu faço isso todo dia de manhã, ou pelo menos quase todo dia). Os movimentos de saltar e quicar estão associados a bom humor em nossa mente. Sem mencionar que a cama elástica, mesmo uma portátil, é perfeita para um treino. Não custa caro, é fácil de guardar e deliciosamente conveniente, já que é possível pular em casa.

O sentimento da criança-sol é uma base maravilhosa sobre a qual aplicar as estratégias de reflexão, que veremos a seguir. E as estratégias de reflexão, por sua vez, ajudam você a entrar no modo criança-sol.

CAPÍTULO 16

DAS ESTRATÉGIAS DE AUTOPROTEÇÃO ÀS ESTRATÉGIAS DE REFLEXÃO

Neste capítulo você vai aprender métodos para ajustar sua percepção, seus pensamentos e seus sentimentos a fim de permanecer o máximo de tempo possível no potente modo criança-sol ou no modo adulto.

O princípio central é desarticular suas influências e crenças negativas, bem como as projeções e percepções distorcidas que essas crenças produzem. A partir daí, você deve praticar estratégias de autoproteção *positivas*, que denominamos *estratégias de reflexão*. O objetivo é que você precise se defender bem *menos*. Em outras palavras, quero ajudar você a gostar (ainda mais) de si. Quanto mais você aceitar quem você é, incluindo sua criança-sombra, menos vai precisar se esconder do mundo. E quanto mais autêntica for sua existência, mais feliz você será em seus relacionamentos. À medida que se descobrir, você vai se sentir melhor consigo e com as pessoas – e elas, com você.

Não pretendo lhe mostrar como se tornar uma pessoa melhor ou mais bonita para que você finalmente se sinta satisfeito, e sim como se aceitar e se afirmar de maneira apropriada, para que consiga fazer as pazes consigo e com sua criança-sombra – e fazer sua criança-sol rir.

A felicidade e a infelicidade dependem dos relacionamentos

Quase tudo na nossa vida gira em torno das relações interpessoais. Boas relações nos alegram, relações ruins nos entristecem. De que serve a riqueza para quem se sente só? De que adianta chegar ao topo se não há ninguém com quem compartilhar o sucesso? O pior estado emocional é a solidão. Ansiamos por reconhecimento e pertencimento. Como dito anteriormente, nosso desejo por conexão é existencial, por isso é que nossas estratégias de autoproteção são voltadas para as relações interpessoais. O objetivo de todas elas é conquistar reconhecimento e afeto e evitar agressão ou rejeição.

O mundo inteiro é regido pelo princípio do reconhecimento como indício de sucesso. Quem quiser ser reconhecido precisa ser melhor, mais bonito, mais poderoso, mais rico ou simplesmente "mais único". Não se pode mostrar fraqueza. Mas nossas estratégias de autoproteção não permitem que sejamos autênticos, pelo menos não de todo. Mostramos somente o que supomos forte em nós e ocultamos o que supomos fraco. Mostramos a fachada que acreditamos capaz de atrair mais amor. Dessa forma, as estratégias de autoproteção mais nos afastam do que realmente nos aproximam das outras pessoas, pois a proximidade não surge da perfeição ou da admiração dos outros por nossos feitos. Tampouco é obtida por meio da obsessão por harmonia a todo custo, que leva à desonestidade. Muito menos por agressão-ataque, encenação, disfarce e dominação, ou mesmo por fuga e evasão. A verdadeira proximidade nasce unicamente de *autenticidade, sinceridade* e *empatia*.

Se você tiver alguma objeção quanto a isso, argumentando mentalmente que na verdade não quer tanta proximidade assim e que se sente mais confortável quando mantém distância dos outros, é sinal de que recaiu na evasão como estratégia de autoproteção. Até mesmo pessoas mais introvertidas, que de fato necessitam de muito menos companhia do que as mais extrovertidas, precisam de pelo menos uma pessoa realmente próxima para serem felizes. Alguém que goste delas ou mesmo que as ame como *realmente são*. É o que todos nós mais desejamos.

É por isso que as estratégias de reflexão têm por objetivo melhorar seus relacionamentos e não sua carreira. Você até pode crescer profissionalmente ao adquirir novas estratégias de reflexão, mas será apenas um bônus por estar descobrindo mais a respeito de si e conseguindo se afirmar melhor. As estratégias de reflexão não estão a serviço de seu *eu ideal*, ou seja, da fantasia que você faz de si mesmo, mas de seu *eu real*. Elas o ajudam a se manter fiel ao que você é. E, no fundo, sabemos que nosso eu real nos aproxima mais dos outros do que nosso eu ideal. Nós nos sentimos mais à vontade entre pessoas que são autênticas e que reconhecem seus pontos fracos. Quando estamos com pessoas que parecem perfeitas, porém, nos sentimos com menos valor ou inferiores. Assim, tenha em mente que os ideais de perfeição podem servir no máximo para despertar inveja, mas não para que gostem de nós de fato. A imperfeição é cativante.

A maioria dos meus clientes procura ajuda porque tem algum tipo de problema nas relações interpessoais. Seja com o parceiro, com colegas, com amigos, com a família ou com todo mundo. Os problemas no relacionamento têm sempre como base um problema na relação que as pessoas têm com elas mesmas. O mesmo vale para problemas que, à primeira vista, não estão associados à relação com os outros, como, por exemplo, humor depressivo ou ataques de pânico. Por trás desses, muitas vezes também se escondem problemas de relacionamento, como o que já vimos no exemplo de Bárbara no exercício "Compreenda sua criança-sombra".

Problemas de relacionamento resultam das crenças da nossa criança-sombra e de suas estratégias de autoproteção. Isso vale mesmo quando é a outra pessoa que tem mais culpa no relacionamento difícil, seja, por exemplo, por desonestidade ou por intriga, uma vez que ainda vamos ter que lidar com a questão de por que nos deixamos levar por ela. Ou por que não nos livramos dela. Ou por que sempre nos irritamos com ela. Ou por que não somos capazes de nos manter mais afastados dela. Ou seja, você pode questionar todos os relacionamentos com base em seu papel neles. Você também pode aprender alguma coisa com todos os relacionamentos. Em geral, aprendemos mais com as pessoas difíceis justamente porque são elas que nos levam a nossos limites. O psicólogo Robert Betz chamou essas pessoas de "anjos sacanas", expressão que considero bastante engraçada e adequada. Ele diz que essas pessoas são anjos com sinais invertidos – nos ajudam a encontrar o melhor em nós mesmos não por meio da bondade delas, mas por meio de seus pontos fracos. Se, por exemplo, buscamos harmonia a todo custo como estratégia de autoproteção, podemos aprender a nos afirmar com a ajuda de um "anjo sacana". Se, por outro lado, perdemos as estribeiras rápido demais, podemos aprender a permanecer calmos ao interagirmos com eles.

Você já deve ter passado pelo menos uma vez pela experiência de ser julgado de maneira totalmente injusta e de ser mal interpretado por um "anjo sacana". Isso gera sentimentos de raiva e desamparo. Se alguém projeta em mim algo que eu não fiz, não disse nem pretendia fazer ou dizer, na maioria das vezes é uma causa perdida. Situações assim não podem ser resolvidas com diálogo, já que o "agressor", isto é, a pessoa com a distorção perceptiva, precisaria desfazer suas projeções e refletir sobre si mesma. No entanto, se essa pessoa não estiver disposta a isso e/ou for incapaz de fazê-lo, ficamos de mãos atadas. Tais situações vão sempre ser especialmente complicadas caso sejamos de alguma forma dependentes dessa pessoa, seja porque ela é o chefe, o cônjuge ou o pai. Quanto mais afundada em sua distorção perceptiva e quanto menos disposta a questionar seus pontos de vista a pessoa estiver, menores vão ser as chances de chegarmos a um entendimento. Às vezes, a única solução sensata é desfazer a relação com essa pessoa, cortando contato ou, se isso não for possível, impondo-se limites internos.

Contudo, às vezes somos nós o "anjo sacana" para alguém. Por isso somos todos vítimas e agressores. Sentimos na pele o que é ser tratado injustamente e, ao mesmo tempo, tratamos mal outras pessoas com nossas percepções distorcidas. Mesmo que seja por ignorarmos o sofrimento delas. Portanto, se desejarmos melhorar nossos relacionamentos, precisamos começar por nossa percepção, que inclui, sobretudo, nossa autopercepção. Tão logo passamos a basear nossas ações na criança-sombra, deixamos de estar em pé de igualdade com os outros. Ao nos sentirmos inferiores a nossos olhos, eles rapidamente se transformam em agressores. Ou em "idiotas", no caso de nos sentirmos superiores. Por isso a percepção é a base de nossa realidade subjetiva, e é por isso que vamos nos dedicar a ela primeiro – como fizemos com as estratégias de autoproteção.

Exercício: Pegue-se no flagra!

A base de qualquer mudança é nos tornarmos conscientes de nosso estado atual e aceitá-lo como um fato. No entanto, só sou capaz de analisar esse estado atual se me distanciar um pouco de mim, porque, de outra forma, não vou me encontrar na perspectiva do observador, mas na chamada perspectiva de campo. A partir da perspectiva de campo, vejo o mundo lá fora, mas não me vejo. Do ponto de vista do observador, no entanto, sou capaz de me perceber pelo lado de fora. Em relação a nossa criança-sombra, geralmente nos encontramos na perspectiva de campo. Acreditamos em tudo que sentimos, vemos e pensamos. *Tomamos como verdade* nossos pensamentos e sentimentos. Essa ilusão da perspectiva de campo já está em operação quando assistimos a um filme: sabemos que se trata apenas de ficção, mas mesmo assim ficamos apreensivos com um suspense, emocionados com um drama ou animados com uma comédia. Essa dificuldade de se distanciar do filme é semelhante a não conseguir se distanciar das influências da criança-sombra. Mesmo cientes de suas crenças, muitas vezes nos vemos aprisionados na realidade dela. É o que sempre vejo em meus clientes: eles dispõem de todo o conhecimento necessário para resolver seus problemas pessoais, mas vez ou outra esquecem tudo. A meu ver, há três razões para isso:

1. O adulto em nós não consegue acreditar que a questão da criança-sombra seja tão séria assim.
2. Estamos tão acostumados a enxergar o mundo através dos olhos de nossas influências da infância que é muito difícil acreditar em outra verdade.
3. Relutamos em assumir a responsabilidade por nossos sentimentos e pensamentos; preferimos esperar que aconteça algo lá fora que nos redima.

Com isso, a identificação com nossa criança-sombra se dá, na maioria das vezes, de maneira automática e, portanto, despercebida por nossa consciência. Cristina (33 anos) me contou do aborrecimento que teve com a sublocação de seu apartamento. O proprietário tinha contratado um corretor para ajudá-la. No dia combinado, o corretor chegou meia hora atrasado e com 15 interessados. Cristina ficou com muita raiva por causa do atraso e do número de pessoas, que o corretor não lhe havia informado. Ela estava contando com bem menos gente. Com os dentes cerrados, Cristina mostrou o apartamento aos interessados e começou a discutir com o corretor assim que eles foram embora. Ela me relatou isso para exemplificar como conseguiu facilmente sair de "bem-humorada" para "mal-humorada" e ficar presa em seus sentimentos de raiva. Apesar de já ter trabalhado bastante sua criança-sombra na terapia, dessa vez Cristina não teve consciência de que foi justamente a criança-sombra que agiu de forma tão enfurecida. Durante a sessão de terapia, ao analisarmos os eventos relacionados à sua criança-sombra, ela percebeu com espanto que a criança-sombra tinha tido participação em seu surto de raiva. Dessa forma, o fato de o corretor ter chegado atrasado e trazido 15 pessoas sem aviso prévio tinha desencadeado em Cristina uma antiga crença. Por trás do pensamento "Ele deve achar que pode fazer isso comigo!" se escondiam crenças como "Não sou importante". Ela reagiu com sua estratégia de autoproteção de *agressão-ataque*. Portanto, não foi "a situação" que motivou os sentimentos e as ações de Cristina, mas sua *interpretação* da situação, que ocorreu devido às percepções distorcidas de sua criança-sombra. Se não tivesse levado o comportamento do corretor tão para o lado pessoal, ela teria permanecido calma.

Todos nós somos como Cristina: muitas vezes não reconhecemos quando estamos presos a nosso antigo padrão, por já estarmos muito familiarizados com ele. Nem chega a nos ocorrer que poderíamos ter percebido a situação de outra forma. Eis outro exemplo da minha prática: Léo (24 anos) me contou que tinha reatado com a namorada. Só que dessa vez ele quer "fazer tudo certo". Perguntei se ele conversava abertamente com ela sobre os problemas que tiveram no passado, o que ele negou: Léo tem a impressão de que ela não quer isso e de que só quer aproveitar o tempo com ele e reprimir os problemas do passado. Léo não se deu conta de quanto ele tinha se identificado com sua criança-sombra. Com base em suas crenças, que incluem "Não sou bom o suficiente" e "Não posso ser eu mesmo", a *adequação* é uma de suas estratégias de autoproteção mais importantes. Ele tenta satisfazer todas as expectativas que imagina que a namorada tem. E, ao ter a sensação de que ela não quer conversar sobre os problemas do passado, evita isso. Assim, ele percebe a namorada sob a perspectiva da infância e tenta ser um "bom garoto" e "fazer tudo certo". Para conseguir isso, suas antenas internas estão o tempo todo em modo de captura para *intuitivamente* adivinhar o que a namorada espera dele. Seu medo da rejeição e a maneira como enxerga a parceira são tão naturais e tão normais para Léo que ele muitas vezes nem se dá conta de quando se identifica com sua criança-sombra.

Aliás, na maioria das vezes são os sentimentos que nos indicam que estamos agindo com base em nossa criança-sombra. Cristina poderia ter se flagrado em seus sentimentos de raiva, e Léo, em seu medo de perder.

Tenha sempre em mente que sua criança-sombra determina sua percepção, seus pensamentos e seus sentimentos em muitas situações, mesmo naquelas aparentemente banais. E, mais uma vez: se você quiser resolver seus problemas e continuar evoluindo, é de suma importância que assuma a responsabilidade por si mesmo e que trabalhe *ativamente* em você utilizando o novo conhecimento, já que esse é o pré-requisito para que se flagre se identificando novamente com sua criança-sombra. Afinal de contas, só podemos mudar aquilo de que temos consciência.

Aceite de uma vez por todas que sua criança-sombra é uma mera projeção da sua infância. Tendo entendido isso, fique atento e se pegue no flagra sempre que necessário. Você vai ver que, com o tempo, a voz da sua criança-sombra se fará ouvir cada vez mais baixo.

Diferencie fato de interpretação

Ao se dar conta de que se encontra mais uma vez no modo criança-sombra e que está se sentindo péssimo por conta disso, dê um passo para trás, analise a situação de certa distância e se pergunte qual é sua *interpretação* da situação. Isso significa alternar para seu ego adulto e tentar descobrir através de qual lente você está enxergando o mundo com os olhos da criança-sombra. Via de regra, é a essas interpretações que sempre reagimos, não à "realidade objetiva". O mesmo vale para distorções de percepção positivas, quando enfeitamos as coisas para nos proteger de percepções dolorosas. Além disso, o adulto interior e a criança-sol também podem interpretar mal a situação. Mas, em geral, são as percepções distorcidas decorrentes da nossa criança-sombra as que mais nos causam problemas, e é por isso que desejo discuti-las em maiores detalhes.

A maioria das pessoas não faz ideia da intensidade com que as interpretações que fazemos inconscientemente a todo instante colorem nossa percepção de maneira subjetiva. Por exemplo, se a pessoa A pensa "Por que será que ele ri assim para mim?", ela dificilmente se questiona se a pessoa B *realmente* está rindo para ela (leia-se rindo *dela*) ou se não seria um sorriso simpático. Parte essencial do meu trabalho na psicoterapia é analisar junto a meus clientes situações concretas relacionadas à interpretação subjetiva que eles fazem da realidade. Pessoas que se identificam com sua criança-sombra, ou seja, que sofrem de baixa autoestima, via de regra têm uma forte tendência a atribuir propósitos ruins às outras pessoas. Mesmo que estejam recebendo um elogio, acham que o outro quer manipulá-las ou simplesmente "ferrar" com elas. Não conseguem acreditar que alguém possa vê-las de maneira muito mais positiva do que elas mesmas se veem. E, se isso acontecer, elas vivem num medo constante de serem expostas. Em outras palavras: receiam que a outra pessoa possa notar a qualquer momento como elas são *de verdade*. Apenas uma coisa costuma não acontecer: elas questionarem as próprias crenças negativas e chegarem à conclusão de que são *elas* que podem estar enganadas.

No entanto, há também aquelas de natureza que se poderia descrever como "ingênua", que percebem o mundo e suas relações de maneira um tanto idealizada. Na maioria das vezes, essas pessoas desenvolveram a obsessão por harmonia como estratégia de autoproteção, bem como crenças típicas da estratégia da eterna criança. Elas douram a pílula porque morrem de medo da verdade que as colocaria na posição desconfortável de ter que se defender ativamente. Evitar conflitos não é a única característica de pessoas obcecadas por harmonia. Muitas vezes elas nem sequer os percebem. Caso você pertença a esse grupo de pessoas crédulas e inocentes demais, procure pensar como observadores mais rigorosos avaliariam o comportamento da pessoa com quem você interage. Seja deliberadamente bem crítico. Com a ajuda de seu adulto interior, tente ver as coisas da maneira mais objetiva possível. Pegue-se no flagra assim que voltar a criar desculpas pelo outro e a se colocar mais no lugar do outro do que no seu em questões que o incomodem muito.

Exercício: Confronte a realidade

Este exercício foi concebido para ajudar você a compreender e modificar suas interpretações da realidade. Aqui vai um exemplo, que você deve adaptar para a sua situação:

Situação concreta (gatilho): Meu chefe me informa de um erro que cometi.
Minha criança-sombra pensa (crenças): "Não sou bom o suficiente", "Tenho que ser perfeito", "Não posso cometer erros".
Minha interpretação: "Meu chefe acha que não dou conta do trabalho e está considerando me substituir."
Meus sentimentos: Vergonha e medo.
Minhas estratégias de autoproteção: Perfeccionismo e obsessão por controle. Eu me esforço ainda mais, verifico tudo várias vezes e faço horas extras.
Minha criança-sol pensa (crenças positivas): "Eu posso cometer erros", "Sou bom o suficiente".
Minha interpretação da situação: "Meu chefe está satisfeito com meu desempenho, ainda que eu cometa erros ocasionais."
O adulto diz (argumentos): "Você é muito competente no que faz. Está sempre se atualizando. Seu chefe e seus colegas também cometem erros às vezes. Sua criança-sombra está reagindo à crítica com sensibilidade excessiva."
Meu sentimento: Fico tranquilo.
Minhas estratégias de reflexão: Aprendo com o erro e trato a mim e outras pessoas, que também não são perfeitas, com boa vontade e compreensão.

Encontre o equilíbrio entre reflexão e distração

Agora já entendemos que a nossa interpretação da realidade determina o que sentimos e como agimos. Porém nem sempre conseguimos nos flagrar a tempo de corrigir nossa distorção perceptiva e, a partir disso, sair do modo criança-sombra para entrar no modo criança-sol. Ficamos então presos na espiral de sentimentos negativos da criança-sombra e acabamos intensificando nossas estratégias de autoproteção. Só que, agindo assim, afundamos ainda mais no problema. Se já tendemos a *recuar*, nos enfurnamos em casa; se recorremos à *agressão*, distribuímos grosserias; se somos *perfeccionistas*, nos esforçamos ainda mais; e assim por diante. Nesse círculo vicioso, nos sentimos cada vez pior. Nossa identificação com a criança-sombra chega a nos impedir de enxergar uma saída.

Se você não conseguir se flagrar a tempo de corrigir sua percepção para não cair em seu padrão antigo, existe uma outra estratégia que pode ajudá-lo a sair desse estado: a distração. Distração significa concentrar a atenção não em meus sentimentos e problemas, mas no mundo exterior. Ao me concentrar totalmente no que se passa do lado de fora ou numa atividade, passo a não me perceber mais e esqueço de mim. Nesse estado, não sinto dor, seja física ou mental. É por isso que a distração também é uma ferramenta central da psicoterapia para pacientes com dores crônicas – quando você dança com paixão, não sente dor nos pés. Sempre que nossa atenção estiver totalmente tomada, podemos entrar no estado de autoesquecimento. Com isso, sentimentos dolorosos podem ser amenizados. Com a distração, você entra automaticamente num estado de espírito melhor, o que acaba criando uma distância interna em relação ao problema.

Você já deve ter passado por uma situação assim: está extremamente irritado com Fulana porque ela o interpretou mal e o tratou de forma injusta. Sua mente insiste em voltar a esse problema. Você se deixa levar e vai ficando com mais e mais raiva. Mas precisa se concentrar no trabalho, e nisso sua mente dá um tempo desse assunto. Graças à distração, sua raiva fica em segundo plano e você se acalma. Agora, de espírito muito mais leve, você consegue avaliar seu problema com Fulana, pois se distanciou internamente. A distância também fez com que sua interpretação da situação mudasse. Agora você também é capaz de reconhecer sua participação no ocorrido. Você também pode acabar descobrindo que fez tempestade em copo d'água. Ou talvez encontre uma solução. Ou, quem sabe, perceba que a coisa toda não é mais tão importante assim.

Pode ser que você esteja se perguntando: "Mas afinal, é para eu me observar atentamente ou me distrair?" Minha resposta é: ficar de olho em mim para refletir bem sobre as coisas e me flagrar a tempo é bem diferente de afundar num atoleiro de sentimentos e orbitar em volta de mim o tempo todo, sem chegar a lugar algum. Deixar-se levar por seus sentimentos negativos não vai levar você a lugar algum. Por isso vale lembrar a importância de nos observarmos. Contudo, quando corremos o risco de ficar aprisionados nos sentimentos da nossa criança-sombra e em nossas crenças, a distração vale a pena. Ao tomar uma pequena distância, somos capazes de refletir melhor sobre nossos sentimentos e problemas.

Meu conselho é que você faça uma pausa, sinta o que está se passando dentro de si e, em seguida, volte sua atenção para o mundo exterior e perceba o que está acontecendo à sua volta, concentrando-se em suas ações. Encontre um equilíbrio entre dar atenção a si mesmo e ao seu entorno. Caso você esteja enfrentando um problema urgente, que demande sua atenção o tempo todo, recomendo que dedique meia hora por dia a trabalhar nessa questão, de preferência por escrito. Seu adulto interior vai saber que, em caso de dúvida, estará tudo anotado e vai poder se dedicar a outras coisas pelo resto do dia. Para se lembrar de não ficar remoendo o problema, você pode pôr um elástico no pulso. Toda vez que se pegar pensando em seu problema, estale o elástico no braço para direcionar sua atenção para o que estiver fazendo.

Seja honesto consigo mesmo!

Como vimos, autoaceitação não é achar que tudo em você é ótimo. É aceitar seus pontos fortes e fracos. Tampouco é uma questão de amor-próprio. Amor é uma palavra muito forte. Basta gostar de viver, pois, nesse caso, apreciamos nossa existência.

Meu nível de autoaceitação depende do meu nível de autoconsciência. Afinal, só consigo aceitar algo que percebo, de que tenho consciência. Mas se só consigo aceitar o que julgo bom em mim, então só consigo aceitar parte de mim. A outra parte eu preciso de alguma forma ocultar, reprimir. É por essa razão que muitas pessoas fazem um pequeno desvio para contornar o autoconhecimento: concentram-se em pontos fracos relativamente inofensivos ou mesmo inexistentes, enquanto preferem empurrar para o limite de sua consciência os pontos fracos que realmente exigem um olhar mais atento. Uma vez, tive uma cliente incrivelmente linda que, sem exageros, passou a primeira consulta inteira chorando porque se achava muito feia. Embora seja um exemplo drástico de distorção perceptiva, esse caso ilustra bem uma coisa: o ponto fraco dessa cliente não era a aparência, mas uma forte tendência à histeria, ou seja, à reação exagerada. E, tal como essa cliente, todos nós nos enganamos, seja em maior ou menor grau.

Se fechar os olhos por medo de encarar algo doloroso, eu até me protejo dessas imagens, mas não evoluo. Por exemplo, se eu não admitir para mim mesma que adio decisões importantes por medo de fracassar, vou ficar correndo sem sair do lugar. Se não admitir para mim mesma que tenho uma inveja enorme de Beltrano, nunca vou conseguir lidar com esse sentimento de maneira saudável. Se não reconhecer os limites do meu talento, nunca vou estar satisfeita com meu desempenho.

Recomendo que você seja o mais honesto possível consigo mesmo. Para isso, talvez seja útil pedir uma opinião sincera a um amigo próximo, já que geralmente não é muito fácil nos percebermos com objetividade. O autoconhecimento pode ser incrivelmente libertador, porque reduz o medo. Por exemplo, no momento em que admito que não sou talentosa o suficiente para realizar meus sonhos, não preciso mais ter medo de admitir isso. Posso relaxar e reconhecer: "Sim, é isso que eu sou." Então posso elaborar planos mais realistas para o futuro.

Muitas vezes um medo difuso de certas verdades age em nós de maneira sorrateira. Enquanto continuarmos fugindo dessa verdade, esse medo vai permanecer, impedindo nosso desenvolvimento. Mas então faço uma pausa e admito para mim mesma que esse é o modo como são as coisas, e pode ser que assim o medo se desfaça e dê lugar a certo luto. Isso pode abrir espaço para coisas novas. Seja por dar uma nova direção a meus desejos, isto é, me dedicar a outra atividade que se adeque melhor a mim, ou simplesmente por aceitar que meu talento não vai me levar a grandes alturas, mas que ainda assim trará resultados satisfatórios, ou por eu decidir compensar com esforço o que me falta em talento. Em todo caso, só sou capaz de regular meus objetivos e ações por meio de uma autocrítica realista para que, no final das contas, eu fique muito mais satisfeita do que se seguisse na direção errada por puro medo do autoconhecimento.

Ao nos debruçarmos sobre nossos pontos fracos, a pior coisa que podemos admitir é a culpa. Sentimentos de culpa são praticamente insuportáveis. Admitir para nós mesmos que somos culpados pode ser incrivelmente libertador. Basta dizer: "Isso não foi legal", "Isso foi culpa minha", "Eu não farei mais isso desse jeito". Porque só quando me responsabilizo por minhas ações é que posso ser justa com quem errei. Só quando reconheço meus erros é que posso me desculpar com os envolvidos. Geralmente essas pessoas são as que estão mais próximas de nós. Se você se der conta de que se arrepende de algumas coisas que fez, disse ou deixou de fazer, considere pedir perdão às pessoas afetadas. Muitos filhos se sentem aliviados simplesmente ao ouvir os pais admitirem: "Sentimos muito. Estávamos sobrecarregados na época e hoje faríamos tudo diferente!" Muitas vezes ainda há feridas abertas na criança-sombra porque os pais nunca assumiram a responsabilidade pelos erros, preferindo se justificar ou negar as coisas. Talvez você esteja esperando que seu pai, sua mãe ou ambos se desculpem com você por algo que não tenha corrido bem.

Caso você tenha filhos adultos e, após uma autocrítica franca, chegue à conclusão de que fez algo errado, peça desculpa a eles por isso. Esse pedido de desculpa pode ser um recomeço na relação de vocês. Por outro lado, caso você ainda tenha filhos menores de idade, analise com atenção de que maneira sua criança-sombra pode estar influenciando a criação deles e tente pesar suas ações da melhor maneira possível.

Ainda que, pensando a respeito, você se dê conta de que foi injusto com um velho amigo ou com um colega de trabalho, simplesmente se desculpe por isso. Mesmo que isso tenha acontecido há muitos anos. Muito provavelmente você já passou por situações em que foi tratado injustamente. Imagine só se essa pessoa pedisse desculpa a você tempos depois. Não seria incrível?

Exercício: Diga sim à realidade

Este exercício na verdade é uma postura interna que desejo encorajá-lo a adotar. Ele foi retirado da meditação budista, que conheço apenas superficialmente, embora saiba que um dos fundamentos dos exercícios meditativos é aceitar e reconhecer as coisas como são. Acredito que seja possível adotar esse conceito simples em nossa vida sem que para isso seja necessário se aprofundar muito nos ensinamentos budistas. A ideia de dizer sim é muito cativante do ponto de vista psicológico. Como eu disse, rejeitar insights dolorosos pode criar um medo crônico, mas rejeitar o medo custa mais energia do que aceitá-lo. E isso também se aplica a todos os outros sentimentos negativos: luto, desespero, raiva, vergonha... Todos se dissipam mais depressa quando os aceitamos.

Ao falar de medo, me refiro à criança-sombra. Quando aceitamos nossa criança-sombra e, com isso, nossos medos, nossos sentimentos de inferioridade e de vergonha, nosso luto e desamparo, ela se sente compreendida e consegue se acalmar aos poucos. Para tanto, em geral basta que, vez ou outra no decorrer do dia, digamos: *Sim, é isso*. Não importa se preciso ir ao dentista, se estou pensando sobre um desentendimento com um amigo, se estou preso no trânsito, se as crianças estão me dando nos nervos, se vou perder o trem, etc., repita sempre: "Sim, é isso." O melhor a fazer é sincronizar essa frase com sua respiração, inspirando e expirando profundamente e dizendo mentalmente: "Sim, é isso." Repita isso diversas vezes e você vai ver como é relaxante e libertador.

Sentimentos são estados transitórios. Sabemos disso pelos sentimentos de felicidade. Quando estamos muito felizes, sabemos com antecedência que essa alegria não vai durar para sempre. No entanto, temos a impressão de que os sentimentos negativos nunca vão passar, como quando estamos com dor de cotovelo ou com medo.

Por isso, relembro a você o exercício para desembarcar de sentimentos negativos (página 65): concentre-se na expressão física de seu sentimento doloroso. Se estiver triste, por exemplo, observe como seu corpo sente a tristeza. Um nó na garganta, talvez? Ou será um aperto no peito? Concentre-se apenas nesse sentimento e bloqueie todas as imagens ligadas a tristeza que você tiver na cabeça. Se estiver triste porque sua namorada terminou com você, retire da cabeça qualquer imagem dela e sinta apenas o sentimento físico da tristeza. Fique assim. Você vai ver como ele se dissipa rapidamente. Você pode proceder da mesma forma com todos os outros sentimentos dolorosos. Este exercício tem origem no chamado método Sedona, de Lester Levenson, uma abordagem muito pragmática para lidar com sentimentos.

Treine a boa vontade!

A inadequação que a criança-sombra costuma sentir influencia não somente nosso bem-estar, mas também nossa atitude e nosso comportamento para com outras pessoas. Aos olhos da criança-sombra, o outro rapidamente se transforma em inimigo. Em meu livro *Leben kann auch einfach sein!* (Viver também pode ser simples!), expliquei que, na maioria das vezes, as pessoas inseguras levam a vida na defensiva, isto é, vivem com medo de estar numa posição inferior ou de ser atacadas. Mas quem está ocupado se defendendo não consegue, ao mesmo tempo, demonstrar compaixão pelo agressor. O resultado é que falta a essa pessoa boa vontade para com quem ela considera mais forte. Só consigo demonstrar boa vontade quando me encontro em pé de igualdade com a outra pessoa. Se, por outro lado, me sinto inferior, não sou dura só comigo mesma, mas também com o outro. Embora eu possa admirar pessoas à minha volta supostamente mais fortes por certas características e tenha para mim que sou rígida apenas comigo mesma, sejamos francos, as coisas não são bem assim. A inveja e a *Schadenfreude* (do alemão, a alegria que sentimos com o sofrimento alheio) são características demasiado humanas, geralmente dirigidas às pessoas que percebemos como superiores. A criança-sombra é capaz de agir com mesquinhez e desconfiança assustadoras. É por isso que a comunidade se beneficia quando permaneço no modo criança-sol ou no modo adulto o máximo possível. Isso eleva meu estado de espírito e, como consequência, vejo as outras pessoas com muito mais boa vontade. A percepção e o estado de espírito estão em constante interação. Se estiver de bom humor e tratar as outras pessoas com benevolência, elas vão se sentir bem em minha companhia. Instaura-se uma dinâmica positiva. É muito mais relaxante olhar com benevolência para outras pessoas do que ficar de prontidão, à espera do próximo ataque. Em contrapartida, quanto mais tensa e estressada eu me sentir, mais depressa vou tender a projetar esses sentimentos em outras pessoas e, portanto, a desencadear uma dinâmica negativa.

É muito mais fácil demonstrar benevolência para com os outros quando estou no modo criança-sol. No entanto, se lidar comigo mesma de modo mesquinho e agressivo, vou ter mais dificuldade ainda em ser generosa com os outros. Por conta disso, é muito importante cuidar de mim mesma e assumir a responsabilidade por meu bem-estar. Você pode fazer isso sendo compreensivo com sua criança-sombra e a reconfortando, assim como praticamos no exercício "O adulto consola a criança-sombra". Junto a isso, pratique como entrar ativamente no modo criança-sol. Certifique-se de que está de bom humor. Encare como um dever se divertir e aproveitar a vida quanto puder. Vou falar mais a respeito disso na seção "Aproveite a vida" (página 171).

A benevolência, no entanto, também é uma postura interna, sobre a qual posso decidir. Muitos que se identificam com sua criança-sombra insistem em tratar outras pessoas com desconfiança. A suspeita e a desconfiança estão entre as estratégias de autoproteção deles, e justamente por se identificarem tão intensamente com sua criança-sombra, eles também acreditam com firmeza naquilo que percebem. Pensam: "O mundo e as pessoas são egoístas e malvados." Não estou afirmando que as pessoas são essencialmente boas. Uma imagem ingênua e não pensada sobre as pessoas é tão problemática como a suspeita notória. Mas com uma postura fundamentalmente desconfiada, na qual quase não há boa vontade, nós mesmos contribuímos para deixar o mundo um pouco pior. Além disso, a postura pessimista e desconfiada de que o homem seja fundamentalmente egoísta não pode ser cientificamente fundamentada, conforme descrevi na seção "Como os valores podem nos ajudar" (página 139). E aqui vai um lembrete: a pesquisa moderna sobre o cérebro provou que somos programados para cooperar e que o ato de nos doarmos nos deixa felizes. Portanto, argumentos racionais também depõem a favor de uma atitude de benevolência.

Se você se flagrar julgando um amigo, um colega de trabalho, um parente ou o parceiro de maneira muito mesquinha e negativa, dê um passo para trás e tente analisar a mesma situação de um ponto de vista mais benevolente. No Capítulo 9 eu já tinha explicado que, infelizmente, está em nossos genes dar mais atenção a eventos negativos e a supervalorizá-los. Mais um lembrete: uma interação negativa com um amigo pode legar ao segundo plano cem outras positivas. Portanto, antes que você chegue à conclusão de que a pessoa X está agindo com segundas intenções, verifique com seu ego adulto se é realmente isso e leve em consideração quanta coisa boa você viveu com essa pessoa. Pense bem se a sua interpretação da situação é pertinente. Muitas vezes estamos rapidamente dispostos a atribuir más intenções a outras pessoas, mesmo quando lidamos com um amigo de anos. Um aniversário esquecido, uma pequena crítica ou uma reação "errada" podem causar tamanha decepção em algumas pessoas que elas duvidam da amizade. Uma atitude benevolente, por outro lado, inclui permitir que outras pessoas – assim como nós mesmos – possam:

- preferir fazer o bem e, mesmo assim, cometer erros às vezes;
- esquecer coisas, mesmo o aniversário do melhor amigo;
- estar ansiosas e, por isso, nem sempre agir com honestidade;
- nem sempre mensurar com exatidão as consequências de suas ações;
- vez ou outra simplesmente não estar a fim de alguma coisa;
- agir sem pensar às vezes;
- estar de mau humor às vezes;
- se encontrar com frequência no modo criança-sombra.

Não esqueça: pessoas difíceis também têm uma criança-sombra muito magoada.

Nenhuma relação humana é perfeita. Todos cometemos erros e nos enganamos. Por isso, trate sua inadequação e a de outras pessoas da maneira mais generosa possível. A agressão e a mesquinhez prejudicam, em primeiro lugar, a você mesmo, jogando seu humor para baixo e minando sua relação com as pessoas. A propósito, o humor pode nos ajudar a moldar nossas relações com mais leveza e boa vontade. É como ouvi uma vez: "Eu não tenho defeitos, tenho efeitos especiais!"

Elogie o próximo como você elogiaria a si mesmo

Boa vontade inclui expressar apreço pelas pessoas à minha volta, algo que muitas pessoas têm dificuldade em fazer quando se encontram no modo criança-sombra. Presas nesse estado interior, elas tendem à inveja, e a inveja deixa pouco (ou nenhum) espaço para elogios.

Há pessoas que se sentem inibidas de proferir um elogio. Para elas, oferecer ou receber elogios é algo vergonhoso. Foram habituadas a isso desde a infância. Muitas pessoas são ensinadas desde pequenas que "não reclamar já é elogiar". Outras, talvez com certa razão, acreditam que têm um nível de exigência elevado, tanto para com os outros quanto para consigo mesmas, motivo pelo qual raramente elogiam.

Seja qual for a razão para a dificuldade de parabenizar ou fazer um elogio sincero, recomendo que pratiquem a generosidade. Se é esse seu caso, tente ser mais generoso consigo mesmo e com os outros. Dê uns tapinhas em suas costas com mais frequência pelas coisas que você faz bem, parabenize-se pela sua aparência e por tudo que possui e se elogie pelas coisas boas que realizou. Além do mais, a melhor maneira de começar o dia é com um autoelogio pela manhã. Elogie a si mesmo sempre que possível. Isso melhora seu estado de espírito e reduz seus sentimentos de inveja caso você os esteja sentindo. Você também pode experimentar isso com a gratidão: seja grato por tudo que estiver dando certo na sua vida. E seja grato por tudo que você possui e por tudo que nos parece óbvio com demasiada frequência. Dirija deliberadamente o olhar para o que há de bom em você e em sua vida. Todo o chororô pelos próprios pontos fracos e deficiências leva à ingratidão. Ao se elogiar e ser grato, você se abastece de reconhecimento e pode então retribuir.

Elogie seu marido ou sua esposa, seus filhos, seus colegas de trabalho, seus chefes, seus amigos e amigas, até desconhecidos na rua. Os americanos se sentem bem à vontade para tecer elogios a estranhos, tanto que é comum ouvir um "Adorei seu vestido!" de um caixa de mercado. Eu adoro esse jeito simpático e descontraído. Já nós, alemães, somos acanhados e fechados, embora isso venha melhorando nos últimos anos. (Não venha me dizer que "os americanos são superficiais". Um alemão não mostra mais profundidade por não elogiar o vestido das clientes.)

Todos nós ansiamos por reconhecimento. Em vez de ficar esperando passivamente por reconhecimento, comece a distribuí-lo ativamente. Falando nisso, seja generoso não só com seu reconhecimento, mas também com a parte financeira. A avareza é uma característica terrível, que, infelizmente, muitas pessoas apresentam. Se você for uma dessas pessoas que têm dificuldade em ser generosas, examine atentamente suas crenças e analise sua avareza como uma estratégia de autoproteção. Acredite: sua avareza não faz você mais feliz nem contribui para mais segurança em sua vida. Muito pelo contrário: quanto mais você der, mais vai receber. Você vai ver como seu humor e seus relacionamentos vão melhorar quando você passar a tratar as pessoas com generosidade em todos os aspectos.

O bom já basta

Como vimos, a maioria das pessoas despende uma energia tremenda para calar sua criança-sombra e suas crenças. Muitas tentam silenciá-la buscando a perfeição. Repito: essas crenças são ilusões negativas. Elas são equivocadas e expressam apenas parte das exigências excessivas de seus pais. Mas, ao escolher suas estratégias de autoproteção, você também comete erros. Ao buscar a perfeição, você passa tempo de mais se perguntando qual impressão deixa e tempo de menos se perguntando o que de fato faz sentido.

Para fortalecer seu adulto interior, experimente fazer a si mesmo algumas perguntas de autocrítica: por que você quer tanto ser perfeito? Será mesmo uma questão de dedicação? Ou você está tentando proteger sua vulnerabilidade? Talvez queira ser admirado, quem sabe? Dê um passo para trás e observe seu comportamento pelo lado de fora. A quem, além de você mesmo, interessa que você entregue um trabalho perfeito, tenha uma aparência perfeita ou seja um anfitrião perfeito? Que porcentagem disso se deve apenas a você? O que você poderia fazer com a energia e o tempo restantes se recuasse de suas exigências de perfeição e se contentasse em fazer as coisas "apenas" bem? O que faria com o resto do tempo? Será que você tem medo de ficar entediado ou de trazer à tona lembranças dolorosas? Ou está abafando problemas urgentes se refugiando no trabalho? Muitas pessoas fogem dos problemas se mantendo o mais ocupadas que podem. Assim que a calmaria surge, o medo e a preocupação batem à porta.

Fortaleça seu ego adulto refletindo sobre os problemas dos quais você pode vir a fugir. Pergunte-se se sua estratégia de autoproteção não está lhe trazendo mais problemas do que benefícios. É isso que faz com que os perfeccionistas se estressem com frequência. Ao se estressarem, eles prejudicam não só a si mesmos mas também seus relacionamentos. Tenha em mente que as elevadas exigências que você se impõe talvez estejam fazendo com que também aja com rigor excessivo para com o próximo. Além disso, sua ambição restringe sua alegria de viver. Assim você corre mais risco de ser acometido por um *burnout*.

Então se pergunte quem poderia se beneficiar se você investisse menos tempo em sua perfeição. Sua família? Seus amigos? A sociedade? Você mesmo, já que aproveitaria a vida com mais alegria e mais diversão?

Tente relativizar seu perfeccionismo questionando-se de que lhe serve isso. Pegue sua criança-sombra pela mão e explique a ela com muito carinho e paciência que ela é boa o suficiente do jeito que é e que pode, sim, errar. E fortaleça seu adulto interior questionando a fundo os cenários hipotéticos de que você tem medo: você realmente seria demitido se trabalhasse menos? Em caso afirmativo, considere se todo o estresse de manter esse emprego vale a pena ou se é possível buscar uma recolocação.

Reflita se seus relacionamentos realmente vão melhorar se você for o amigo perfeito ou o namorado perfeito. Aliás, o que significa ser perfeito nesses casos? Reflita também sobre seus níveis de exigência. Em vez de ser o mais bonito, melhor e mais legal, que tal se você fosse o mais honesto e receptivo possível? Penso que seria perfeito mesmo se as pessoas soubessem como você se sente em relação a elas e se tivessem a tranquilidade de que podem confiar em você. Seria ótimo se você não centrasse tanto suas ações em suas chances de sucesso e mais no questionamento do que considera certo. E se, em vez de ser perfeito, você simplesmente se propusesse a ser mais você mesmo? Ou se você se propusesse a permanecer o máximo possível no modo criança-sol? Ou se você se propusesse a ser mais tranquilo?

Faça com que o adulto em você se lembre de duas coisas:

1. Pelos olhos da criança-sombra, o mundo é uma projeção, uma realidade distorcida para o negativo.
2. Há muitas coisas mais importantes a fazer do que ser perfeito, entre elas agir com honestidade e aproveitar a vida.

Aproveite a vida

As estratégias de autoproteção da criança-sombra podem nos amarrar de tal forma que não nos permitimos aproveitar a vida. Pessoas que se veem presas assim se permitem muito pouco. Dedicam-se demais ao trabalho e às obrigações e acham que só podem aproveitar as coisas depois de terem feito tudo que deveriam. Só que sempre há algo a ser feito. A criança-sombra dessas pessoas é acometida por uma espécie de culpa primordial, a de *não ser boa o suficiente*. Elas acreditam que não merecem ser felizes ou se cobram tanto que não sobra espaço para o prazer. Sentem-se culpadas se não trabalharem. Isso é muito comum entre os controladores e os perfeccionistas.

Do ponto de vista do adulto interior, não há nenhum argumento racional que justifique não aproveitar a vida. Meu pai sempre dizia: "Que vantagem tem em viver infeliz?" É uma frase que eu adoro. Lembre-se de que a alegria de viver e o prazer nos deixam de bom humor, trazem à tona a criança-sol. É por isso que você deveria se obrigar a fazer o máximo possível para se sentir bem e aproveitar a vida. Para isso, no entanto, você precisa gerenciar bem seu tempo, pois o prazer demanda tempo. Procrastinadores crônicos, por exemplo (que adiam tarefas importantes o tempo todo), não conseguem aproveitar a vida direito porque, assim como os controladores, ficam com a consciência pesada. A diferença entre os dois tipos é que os procrastinadores têm a consciência pesada *com razão*, já que adiam tarefas necessárias, enquanto os controladores carregam sentimentos de culpa sem necessidade, pois querem realizar com perfeição até as tarefas secundárias. Mais adiante vou lhe dar dicas úteis para evitar a procrastinação.

Uma boa refeição e um bom vinho podem nos deixar radiantes de alegria, assim como uma caminhada na natureza, uma boa música, um bom sexo… O que você preferir. O que não é aceitável é se negar o prazer. Por isso, permita-se aproveitar a vida sempre que puder.

Algumas pessoas não fazem ideia de como se divertir, de tão desacostumadas que estão do prazer. Elas se sobrecarregam e, em sua maioria, vivem estressadas e mal-humoradas. Outras até se divertem, mas precisam de uma "boa" razão (dor de cabeça, por exemplo) para se permitirem uma pequena pausa. A criança-sol delas acha isso tudo extremamente lamentável, mas ninguém pede a opinião dela a respeito. Se fosse consultada, a criança-sol teria um monte de ideias para se divertir à beça. Bastaria lhe dar ouvidos. Ela provavelmente saberia direitinho o que a deixaria feliz se pudesse se desenvolver com liberdade.

Caso você tenha tendência a se sobrecarregar, explique o seguinte à sua criança-sombra: "Minha querida, nem sempre precisamos nos extenuar para sentir que temos valor. Você é valiosa, mesmo que descanse às vezes. Você precisa recarregar a bateria de tempos em tempos. Se esgotarmos nossos recursos, ninguém vai sair ganhando com isso. Podemos aproveitar o tempo livre para relaxar. Podemos curtir a vida e nos divertir muito. Depois de recarregar a bateria, vamos poder correr a toda de novo."

Diversão e prazer também são obtidos da beleza. Olhe à sua volta e veja se em sua casa ou em seu local de trabalho há coisa agradáveis aos olhos. Esse é um recurso à sua disposição. Se estiver lendo este livro para promover uma mudança interna, experimente mudar também algo em seu ambiente. Às vezes são as pequenas coisas que nos trazem alegria, como um vaso de flores na mesa. Cheiros gostosos também nos alegram. Eu, por exemplo, sempre tenho na bolsa óleo de rosas, que uso se precisar me animar um pouco. Assuma a responsabilidade pelo seu bem-estar. Cuide-se.

Há alguns anos, era oferecida em algumas clínicas a chamada "terapia eutímica", para que as pessoas reaprendessem a sentir prazer. O prazer tem estreita relação com a consciência. Afinal de contas, preciso ativar meus sentidos se desejo apreciar as coisas. A desatenção dificulta. Se devoro a comida, por exemplo, não me dou conta direito do que estou ingerindo. Na terapia eutímica, os sentidos são refinados. Os participantes são instruídos a descrever exatamente o que sentem quando comem um pedaço de chocolate ou observam uma rosa e assim aprendem a desfrutar as coisas de forma consciente. Você pode inserir a terapia eutímica em seu dia a dia sem muito esforço. É simples:

1. Obtenha prazer fazendo mais vezes coisas que lhe fazem bem.
2. Concentre sua atenção e seus cinco sentidos no aqui e agora.

Outra boa maneira de se tornar mais consciente da beleza e do prazer é caminhar prestando bastante atenção em tudo que for belo à sua volta. Imagine que você está com uma câmera (ou até leve uma mesmo) e procure cenas para fotografar. Não é uma tarefa fácil, mas relaxa a mente incrivelmente bem porque acabamos nos distraindo de nós mesmos. Costumo treinar isso durante minhas caminhadas porque sou daquele tipo de pessoa que rapidamente se perde em pensamentos e se desconecta do mundo real. Ver a natureza e as flores me faz muito feliz.

Seja autêntico, não uma criança comportada

Pessoas que aprenderam a buscar harmonia a todo custo como estratégia de autoproteção querem fazer tudo certo. Elas já treinaram desde criança a fazer isso para ganhar reconhecimento dos pais ou pelo menos para não serem punidas. Não são muito boas em impor limites aos desejos e às necessidades das pessoas próximas e se sentem responsáveis pelo bem-estar delas. Se a outra pessoa estiver de mau humor, elas, conscientes da própria culpa, se perguntam o que fizeram de errado ou o que poderiam fazer para que o outro se sinta bem novamente. Estão sempre tão atentas às necessidades reais ou supostas do outro que negligenciam as suas próprias. É claro que, a longo prazo, isso não dá certo, porque na verdade elas também querem o que lhes é de direito. No entanto, como raramente expressam seus desejos – e, mesmo que o façam, é bem baixinho –, têm a sensação de nunca serem atendidas. Embora também se ressintam de si mesmas, esse ressentimento é maior para com a outra pessoa, que elas veem como dominante. Assim como estão sempre tentando antecipar o que o outro quer, também esperam que o outro adivinhe seus desejos. Se ele não o fizer, elas se magoam rapidamente.

As pessoas que buscam harmonia a todo custo assumem pouca responsabilidade por si mesmas, já que estão o tempo todo preocupadas com o bem-estar alheio. Querem fazer tudo certinho, sem machucar ninguém, mas, se forem honestas consigo mesmas, vão ver que sua preocupação maior não é o outro, mas sua criança-sombra, que tem medo de ser rejeitada. Se fossem mais francas na hora de fazer valer suas necessidades, poderiam gerar irritação, então se adaptam às expectativas que imaginam que o outro tenha e esperam que ele "retribua" adivinhando seus desejos.

Se você for desse tipo de pessoa, o primeiro passo é se conscientizar, com ajuda de seu adulto interior, de que você e sua criança-sombra estão presos em seus filmes da infância. Para agradar aos pais, você se ajustou ao outro o máximo possível, talvez porque eles fossem muito rigorosos ou muito frios. Ou talvez até fossem muito carinhosos mas também buscassem harmonia a todo custo e evitassem conflitos, o que não foi um bom exemplo de como se afirmar.

De todo modo, você era muito dependente de seus pais quando criança. Com muito carinho, explique à sua criança-sombra que isso é passado e que agora você é o responsável pela sua felicidade. Você precisa aprender a cuidar mais de si. Assuma a responsabilidade pelo seu bem-estar. Diga o que quer e o que não quer. Isso não tem nada a ver com egoísmo, muito pelo contrário: se você se mantiver fiel a si e a seus desejos, a outra pessoa vai saber como você está se sentindo, permitindo assim que ambos entrem em acordo e vivam de maneira mais justa. Isso é muito melhor do que ficar emburrado porque seu amigo não antecipou seus desejos. Lembre-se: se você não se abre, as outras pessoas só vão saber o que está pensando e o que quer se *entrarem na sua cabeça*, o que, a longo prazo, é muito desgastante. Além disso, elas têm a sensação de não saber ao certo como você se sente em relação a elas. Seria bem mais leve para os outros se você fosse mais aberto e mais autêntico em relação a seus sentimentos. Quando você assume responsabilidade por si, as pessoas à sua volta já não precisam mais se preocupar o tempo todo em saber se você *realmente* acha legal se fizerem assim e não assado.

Fazer valer sua opinião é igualmente importante. No final das contas, ao querer fazer tudo certinho você não está fazendo nada certo para ninguém porque não está se responsabilizando por nada e, em última análise, ninguém pode confiar em você. Você não precisa ser o queridinho de todo mundo. Mais importante que isso é se manter firme em seus pontos de vista e nadar contra a correnteza quando se tratar de algo importante, que envolva seus valores pessoais. Civismo, sinceridade e justiça são mais importantes do que o medo de despertar antagonismos. Pode ser que algumas pessoas desgostem de você ao ouvir seu ponto de vista, mas elas também não vão gostar muito se você ficar sempre em cima do muro. Como já foi dito, muitas vezes elas ficam na dúvida se você está sendo sincero no que diz e faz e talvez até achem você um pouco chato. Aliás, relaxe: você nunca vai conseguir agradar todo mundo. Portanto forme suas próprias opiniões e referências. Reforce para si mesmo a ideia de que o que importa não é ser querido por todos, mas agir de acordo com seus valores.

Talvez você esteja pensando: "Mas isso não serve de nada!" É a frase favorita dos anticonflito. Em primeiro lugar, abrir a boca tem muito mais serventia do que você pensa. Em segundo lugar, não devemos pautar nossas ações apenas pelas chances de sucesso. Se você disser a um amigo que se sentiu ofendido com algo que ele fez, vai estar dando uma chance a ele e à amizade de vocês, a chance de que vocês conversem, esclareçam a situação e se entendam. Com isso vai ter feito tudo que cabia a você para melhorar a relação. E é só isso que lhe cabe. Como o outro vai reagir não é responsabilidade sua.

Talvez sua maior dificuldade seja não saber ao certo o que quer e o que pensa. Talvez você esteja tão condicionado a prestar atenção nos outros que perdeu a conexão com sua vida interior. Nesse caso, ouça a si mesmo com atenção e se pergunte "O que estou sentindo?" e "O que penso sobre isso?". Você também pode treinar defender sua opinião debatendo com uma pessoa imaginária e trocando argumentos. E é claro que também pode praticar isso na vida real. Pegue-se no flagra quando estiver novamente calando sua opinião ou suas necessidades na tentativa de fazer com que os outros gostem de você. Então alterne para o modo criança-sol e fale, se expresse. Você vai ver que a vida fica mais leve quando se é mais sincero e mais aberto. Os relacionamentos são bem menos complicados. Harmonia e proximidade *reais* só são possíveis quando você é autêntico e assume a responsabilidade por si mesmo.

Aprenda a lidar com conflitos e transforme seus relacionamentos

Pessoas que recorrem à hiperadequação e à obsessão por harmonia como autoproteção são mais propensas a se deixar levar pelas circunstâncias e pelo acaso do que a definir metas e se livrar de obstáculos. Para traçar metas, elas precisam de uma visão clara das coisas, que muitas vezes lhes falta porque passaram a vida toda se pautando pelos outros em vez de por si mesmas. Outra razão para sua passividade é a aversão por conflitos, que se reflete em sua vida e em seus relacionamentos. Elas vivem na ilusão de sua criança-sombra de que precisam permitir que os relacionamentos aconteçam em vez de exercer influência sobre eles. Elas não agem; *reagem*. Adequam-se às custas de uma autoafirmação saudável. Muitas vezes, essas pessoas estão tão habituadas a se adequar aos outros que nem lhes ocorre a *ideia* de que poderiam externar as próprias opiniões e necessidades. Não canso de me surpreender com a capacidade que as pessoas têm de se sentir tão desmotivadas a simplesmente oferecer alguma resistência. Como já escrevi no Capítulo 15 sobre a obsessão por harmonia, a autoafirmação das pessoas com aversão a conflitos consiste frequentemente na resistência passiva, que muitas vezes resulta em evasão, fuga ou rompimento da relação.

Mas há outra razão para essas pessoas hesitarem tanto na hora de advogar em causa própria: elas não estão certas de que têm *direito* a opiniões e desejos próprios. Não são boas em argumentar. Como geralmente veem o outro como superior, concedem a ele mais direitos e competência do que a si mesmas. Por causa disso, é crucial que elas trabalhem a *segurança em defender seus pontos de vista*.

Muitas pessoas não ousam argumentar porque receiam se colocar numa posição inferior. Muitas pensam em categorias como "ganhar/perder" e "superior/inferior". Como estratégia de autoproteção, estão sempre na defensiva. O cuidado de não se colocar numa posição inferior, aliás, não atormenta apenas as pessoas obcecadas por harmonia, mas também aquelas conhecidas como explosivas, cuja estratégia de autoproteção é "agressão-ataque". Elas muitas vezes exageram na dose.

Se você é uma dessas pessoas mais propensas a evitar conflitos, observe a situação do ponto de vista do adulto interior. Tenha consciência de que não se trata de ganhar ou perder. Você não vai se colocar numa posição inferior se o outro tiver argumentos melhores que os seus. Nesse caso, basta dizer "Você tem razão" e permanecer tranquilo. Adote a postura interna de que a questão gira em torno do *assunto* e não de seu desempenho. O mais importante é se conscientizar, por meio de sua compreensão de adulto, de que não é errado dizer o que você quer ou expressar sua opinião. Na maioria dos casos, isso não vai gerar conflito algum e ninguém vai ficar magoado se você simplesmente disser não. Mas vamos falar sobre o "não" mais adiante. Agora quero lhe dar algumas orientações para a resolução de conflitos.

Exercício: Pratique a gestão de conflitos

Pense num conflito latente que você tenha com alguém, seja porque vocês discutiram ou porque você nunca se atreveu a dizer abertamente o que pensa.

1. Entre deliberadamente no modo criança-sol. Faça uso de suas novas crenças, seus pontos fortes e valores e tome consciência dos bons sentimentos que isso desencadeia em você. Ou seja, tente ficar no melhor estado de espírito possível. Caso não consiga, alterne para seu adulto interior para observar a situação com o mínimo de interferência das emoções.

2. Conscientize-se de que a pessoa com quem você se desentendeu também carrega em si uma criança-sombra e que vocês estão em pé de igualdade. Procure demonstrar boa vontade para com ela.

3. Analise sua relação com essa pessoa: você se sente inferior a ela? Ou superior? Já sentiu inveja dela? Ou a vê com desprezo? Analise se a percepção que você tem dessa pessoa está distorcida de forma negativa por motivos que residem em você mesmo. Por isso, preste atenção em si e procure reconhecer sua participação na situação. Neste ponto, pode ser muito útil repetir o exercício "Confronte a realidade", na página 158, e/ou o exercício "As três posições da percepção", na página 128.

4. Mantendo-se no modo criança-sol ou adulto, reflita sobre os argumentos favoráveis a seu ponto de vista, de preferência por escrito. Leve em consideração também os argumentos da outra pessoa. Para isso, fique à vontade para consultar uma terceira pessoa. Que argumentos de ambos os lados lhe ocorrem? Quando tiver reunido todos os argumentos, avalie se a outra pessoa talvez não tenha razão. Em caso afirmativo, diga isso a ela e dê o conflito como resolvido. Caso contrário, avance para o passo 5.

5. Imagine uma situação em que você deseje conversar com a outra pessoa sobre sua preocupação. Não espere que a questão "se resolva sozinha". Apresente sua preocupação de maneira amistosa e exponha seus argumentos.

6. *Ouça com toda a atenção* o que a pessoa tem a dizer. Responda aos argumentos dela e leve-os a sério. Lembre-se: não se trata de ganhar ou perder, mas da questão em si. Se a pessoa tiver argumentos melhores, que lhe pareçam plausíveis, basta dizer que ela tem razão. Dessa forma você permanece tranquilo e o problema de vocês vai estar resolvido. Se a pessoa não tiver argumentos melhores, você pode se ater a seu ponto de vista ou, melhor ainda, os dois chegam a um consenso.

Não precisa seguir estritamente essa sequência. Trata-se apenas de um exemplo de como se preparar para uma conversa ou uma discussão necessárias. A seguir, vou dar um exemplo concreto de como aplicar isso no dia a dia. Lembre-se sempre de que tudo, inclusive problemas difíceis, pode ser abordado num bom estado de espírito ou no modo criança-sol, de maneira amistosa. Se demonstrar boa vontade e respeito, você vai poder abordar qualquer assunto. E tenha sempre em mente: dar razão ao outro quando ele de fato tem razão faz de você uma pessoa tranquila e simpática. Se você insistir com argumentos ruins, não vai ser produtivo. *Argumentos, boa vontade e bom senso são os pilares de qualquer entendimento.*

Vamos ver um exemplo de uma resolução de conflito bem-sucedida. Lara e João são colegas de trabalho. Lara acha que João a interrompe demais nas reuniões. No entanto, por ser tímida e evitar conflitos, ela não oferece resistência. Um dia desses, quando ele a interrompeu, Lara sentiu que precisava intervir de alguma forma. Ela estava com muita raiva.

1. Para se acalmar um pouco, ela procura se distrair. Por isso, propõe-se a fazer um trabalho no qual precisa se concentrar muito. Com isso, ela obtém distância suficiente para mudar para o modo de seu adulto interior (teoricamente, ela poderia ter mudado para o modo criança-sol, mas sua raiva era grande).

2. Depois de se acalmar, ela analisa seu papel na situação: reconhece que permite que João se aproveite dela porque não se defende e, nesse aspecto, assume muito pouca responsabilidade por si mesma. Ela se dá conta de que está se identificando com sua criança-sombra quando João a interrompe e que suas crenças "Não sou inteligente", "Não sou boa o suficiente" e "Tenho que agradar e me comportar bem" a paralisam. Ela conclui que, por causa de suas crenças, se submete a João e que ele não a leva a sério nem demonstra respeito por ela.

3. Agora ela já está tão calma que consegue alternar para o modo criança-sol. Nesse modo, ela tenta analisar o comportamento de João com boa vontade. A partir daí, percebe que João vem interrompendo não só a ela, mas também outros colegas. Lara então se dá conta de que João, apesar de tudo, é um bom colega. Com isso, chega à conclusão de que João não se comporta com ela dessa maneira por falta de respeito, mas porque é impulsivo e temperamental. Por isso, ela já não mais associa o compor-

tamento dele a si mesma e à sua suposta inferioridade, mas o atribui tão somente a ele (reinterpretação positiva da realidade).

4. Por meio desses entendimentos, ela se encontra novamente em pé de igualdade com João. Nesse momento, Lara está refletindo se deve conversar com João sobre o comportamento dele, ou se isso seria mesquinho e crítico demais. Afinal de contas, ele provavelmente não age por mal. Ela também poderia ser um pouco mais corajosa e insistir mais enfaticamente que gostaria de terminar o que estava falando. Mas, na verdade, está pensando se seria melhor conversar com João e resolverem *juntos* a situação.

5. Por isso, ela está pensando em argumentos que deponham contra ou a favor de uma conversa franca. A favor: "É bom conversar sobre isso com João, pois só assim vou poder saber como ele vê a questão", "É justo para com João chamar a atenção dele para o fato de que esse tipo de comportamento me incomoda e que isso provavelmente não acontece só comigo", "Quanto mais cedo eu levar esse assunto a ele, mais calma e relaxada vou poder ficar". Contra: "João pode me culpar pelas críticas", "Talvez não tenha ocorrido a ele que seu comportamento não está legal". A favor: "Posso utilizar exemplos muito concretos para ilustrar as conclusões a que cheguei", "Se João discordar, então é ele quem tem problema para lidar com críticas; nesse caso, o erro não é meu e a tentativa terá valido a pena".

6. Lara decide conversar com João. No dia seguinte, ela o convida para almoçar, o que ele felizmente aceita. Durante a refeição, Lara gentilmente explica como se sente quando ele a interrompe nas reuniões. João compreende as críticas logo de primeira, se desculpa e promete melhorar. Ele diz estar ciente desse ponto fraco, que às vezes é impulsivo demais, mas que não tem a intenção de ser desrespeitoso. Promete se disciplinar mais. Eles acertam que, caso João ultrapasse os limites novamente, Lara simplesmente vai retomar a fala.

Como João entendeu a questão de imediato, eles não precisam argumentar. Como Lara abordou o problema, João teve a oportunidade de expor sua posição e pôde confirmar a suspeita de Lara de que ele interrompia a fala dos outros por causa de seu temperamento exuberante e não por falta de respeito. Com isso, a conversa acabou aproximando os dois.

O conflito que poderia ter surgido entre Lara e João foi resolvido pela ponderação e a autorreflexão de Lara e pela autocrítica honesta de João. No entanto, quando pelo menos uma das pessoas não pesa bem suas ações e se encontra preso em suas estratégias de autoproteção, a conversa provavelmente não vai dar certo. É esse o nosso próximo tema.

Saiba a hora de recuar

Infelizmente, também existem situações em que você não consegue progredir com bons argumentos, mesmo que os do outro não sejam nem um pouco melhores. Nós nos vemos diante de uma causa perdida quando a pessoa com quem estamos tentando conversar nos enche de percepções distorcidas e projeções. Mas é justamente por isso que é importante que você exercite pensar em argumentos para que possa distinguir melhor quem de vocês não está raciocinando bem. O problema muitas vezes é que não temos certeza se estamos avaliando a situação corretamente. Por isso você precisa de uma visão clara das coisas para não ficar preso a um "anjo sacana" à toa. Em casos assim, conversar não faz sentido. A única coisa que ajuda é se impor limites externamente ou pelo menos internamente. Isso é possível também por meio de um estado de humor elevado. Aqui eu gostaria de citar mais uma vez Jens Corssen, que fez a seguinte sugestão para uma separação: "Você é uma estrela brilhante, mas seu comportamento é inadequado, e, como você infelizmente está se ancorando nesse comportamento, eu tenho que me separar de você agora."

Mas até mesmo um distanciamento amigável só pode dar certo quando avaliamos a situação corretamente – ou seja, quando reconhecemos quando é inútil argumentar. Agora você provavelmente está se perguntando como reconhecer esse momento. Um critério essencial é saber com que inclinação a outra pessoa está para responder a seus argumentos. Ela presta atenção no que você diz? Você se sente compreendido? Outra coisa importante: em que medida os argumentos dessa pessoa são *sólidos*? Se a pessoa está criticando você, ela também deve ser capaz de atrelar essa crítica a algo de concreto em seu comportamento. Se o acusar de ser sempre dominante, ela precisa embasar essa avaliação com exemplos concretos. É possível que ela esteja projetando certa dominância em você, quando ela é que se sente inferior. E você não precisa vestir essa carapuça. Se a outra pessoa não é capaz de fundamentar a crítica com exemplos concretos e compreensíveis, então ela está enganada. Até porque ela lhe deve exemplos concretos, já que está criticando você. Se, por outro lado, ela tiver razão, você provavelmente já sabe. Então há apenas uma saída: se desculpar e se comprometer a melhorar. A coisa mais estúpida que podemos fazer é negar uma crítica legítima. Nesse caso, a outra pessoa pode chegar à conclusão de que não adianta conversar abertamente com você porque você não sabe lidar com conflitos. Lembre-se: errar não é vergonha nenhuma. Vergonha é negar que errou.

No entanto, pode ser que essa pessoa apresente exemplos que não se baseiem em fatos, mas na interpretação que ela faz da realidade. Portanto, é de suma importância que você separe interpretação e fato. Eu gostaria de explicar isso voltando ao exemplo de Lara e João. É *fato* que João frequentemente interrompe Lara e fala por cima dela. Esse é um comportamento concreto, também observado por terceiros. A *interpretação* de Lara poderia ter sido: "João é desrespeitoso e machista." Essa foi, de fato, sua primeira avaliação. Se não tivesse sido tão ponderada, ela poderia tê-lo acusado desse comportamento, seja falando em alto e bom som (e ele ao menos teria a oportunidade de se explicar), seja guardando a raiva para si (sem dar uma chance a João). Nesse caso, Lara teria se distanciado de João e talvez tivesse espalhado sua raiva entre os colegas. A má interpretação e a aversão de Lara por conflitos poderiam, no pior dos casos, ter iniciado uma campanha de intimidação contra ele. João, o suposto "agressor dominante", teria se tornado vítima.

Portanto, se a pessoa com quem você se desentendeu não for capaz de lhe apresentar argumentos compreensíveis, que vão além de insinuações, ou seja, além da interpretação subjetiva que ela faz da realidade, então alguma coisa está errada. Especialmente se essa pessoa insistir com a avaliação equivocada. Por isso, se, numa conversa franca, João tivesse jurado a Lara que realmente não queria se comportar de maneira desrespeitosa, mas que ele às vezes simplesmente se deixa levar por sua "boca grande", Lara teria agido bem ao acreditar nele, especialmente se ela não pudesse fornecer quaisquer fatos adicionais que apoiassem a interpretação dela. Tenha sempre um pé atrás com as interpretações que você faz, mas também com as que os outros fazem.

Além disso, ao contrário da crença popular, quando um relacionamento não está dando certo, nem sempre vale o ditado "Quando um não quer, dois não brigam". Por exemplo, se, metaforicamente falando, uma pessoa mentalmente saudável estiver sentada num barco com um narcisista notório, o barco vai virar. Essa é uma lei psicológica natural. O saudável não consegue salvar a relação; ele fracassa diante da distorção perceptiva do narcisista. Em casos assim, a possibilidade de comunicação também é muito superestimada por leigos: se um dos interlocutores ficar preso a uma percepção muito distorcida por sua criança-sombra, nem as melhores palavras vão ajudar. A única maneira de nos protegermos de dominadores é sair do caminho deles assim que possível – ou começar uma revolução.

Portanto, se a outra pessoa rotular você de algo que você não é, com base em intuição e não em fatos compreensíveis, e insistir nessa percepção, você já sabe que ela está enganada. Você pode tentar fazê-la entender isso. Mas não com tanta frequência. Tenha cuidado para não se deixar cair numa *orgia de justificativas*. Em algum momento, defina um limite. É exatamente essa a situação em que, por conta da teimosia e da falta de capacidade de autorreflexão da outra pessoa, você se vê diante de uma causa perdida. Essa pessoa provavelmente protege sua criança-sombra por meio da dominação, ou seja, ela precisa ter razão e não consegue permitir um contato tão próximo com você a ponto de escutar o que você diz. A empatia dela é limitada por causa da estratégia de autoproteção – pelo menos nessa situação. E isso nos leva a uma das mais valiosas estratégias de reflexão no trato com outras pessoas: a capacidade de entender o outro.

Treine a empatia

Empatia é a capacidade de se colocar no lugar do outro. Quando estou pensando muito em mim mesma e em meus problemas, perco de vista as necessidades alheias. Todos nós temos momentos assim. Se estou em sofrimento, seja físico ou emocional, é difícil me concentrar em outra coisa. O organismo inteiro pede o fim da dor. É por isso que alguns casais acabam num impasse: fica um esperando que o outro satisfaça primeiro suas necessidades de atenção e compreensão. Na luta para serem atendidos, perdem empatia. Assim, ter nossas necessidades satisfeitas a ponto de não roubarem mais nossa atenção é a melhor maneira de garantir nossa capacidade de empatia. Esse também é um bom argumento para convencer o adulto interior a cuidar bem de si mesmo, pois quanto mais assumir a responsabilidade por minha felicidade, mais tranquilidade vou ter para poder me dedicar ao meu parceiro e a outras pessoas.

É especialmente difícil sentir empatia com um potencial agressor ou um agressor de fato. A natureza também nos fez assim: se preciso defender minha vida, não posso demonstrar compaixão pelo inimigo. O problema é que, no nosso mundo civilizado, o suposto agressor às vezes nem é um agressor. Pode ser até seu parceiro. Como você já sabe, quando nos encontramos num estado de insegurança ou medo (ou seja, quando nos identificamos com nossa criança-sombra), muitas vezes imaginamos inimigos onde não existem, portanto a empatia sempre funciona melhor quando me sinto segura. Quando me encontro num estado de autoconfiança, sou capaz de me abrir para meu parceiro e me colocar em seu lugar.

Mas, como já expliquei, há ainda uma outra razão para que algumas pessoas tenham dificuldade em se colocar no lugar do outro: elas têm uma conexão ruim com os próprios sentimentos. Geralmente são os homens que estão fortemente apegados ao pensamento racional, mas, enquanto uma pessoa pouco empática tiver boa vontade e demonstrar interesse por seu interlocutor apesar de tudo, vai poder surgir uma conversa construtiva, porque essa pessoa ao menos vai ser capaz de entender com o intelecto o que o outro está querendo dizer. Além disso, uma pessoa com boa vontade (mas pouco empática) pode ser muito prestativa justamente por causa de sua maneira racional de encarar as coisas.

Muito mais problemático que um interlocutor atencioso mas muito racional é o primeiro caso, ou seja, quando uma pessoa se identifica com sua criança-sombra e se enxerga como suposta vítima de alguém supostamente mais forte. Essa distorção perceptiva pode fazer com que a suposta vítima se torne impiedosa e só consiga sentir pena de si mesma.

Isso fica ainda mais evidente quando observamos conflitos entre um casal. Um pequeno exemplo disso é um caso que aconteceu em meu consultório: Elisa e Jonathan estavam casados havia quase 20 anos e procuraram terapia para lidar com problemas sexuais. Fazia muitos anos que Jonathan já não sentia vontade de dormir com a esposa, o que a magoava profundamente. Também no começo a vida sexual do casal foi marcada por longos períodos de desinteresse por parte de Jonathan. Durante a sessão de terapia, a partir do momento em que a conversa se encaminhava para esse tema, percebi que Jonathan escorregava para o modo criança-sombra. Assim que entrávamos na questão do seu desinteresse por Elisa, em questão de segundos ela se transformava em inimiga e ele se tornava rígido e hostil. Essa hostilidade e essa distorção em sua percepção a respeito de Elisa se originaram de suas crenças "Sou responsável por sua felicidade", "Sou o culpado" e "Tenho que atender às suas expectativas". Sua criança-sombra via Elisa como superior e projetava nela a figura da mãe, que era fria e depreciativa. Por conseguinte, Jonathan se esforçava para fazer Elisa feliz em todos os sentidos. Entre outras coisas, muitas vezes ele dizia sim quando, na verdade, queria dizer não. Suas estratégias de autoproteção eram obsessão por harmonia, hiperadequação e interpretação de papéis. Consequentemente, ele assumia pouca responsabilidade pelo próprio bem-estar na relação. Suas necessidades eram deixadas de lado. E, como costuma acontecer, ele a culpava mais do que a si mesmo, já que ela era supostamente mais forte. Ele a castigava de forma passivo-agressiva com evasão, negando-lhe sexo. A postura defensiva (e inconsciente) por trás disso era "Pelo menos na cama eu faço o que quero!". Sua criança-sombra relutava em atender (também) às expectativas eróticas de Elisa. Para ele, dormir com a esposa seria só mais um dever. E, justamente porque ele se sentia responsável pelo bem-estar dela, negava-lhe a realização de seus desejos – um paradoxo que observamos com frequência. Se Elisa queria se aproximar, Jonathan a via como exigente e invasiva, como se estivesse cobrando dele. Faltava-lhe empatia para compreender as necessidades de proximidade e aceitação dela. E, por isso mesmo, não era capaz de sentir que a recusa dele a magoava e feria. Ele também não era capaz de reconhecer que a esposa se via numa situação de impotência: não havia maneira de se aproximar dele, não importava o que ela fizesse. Nesse ponto, Jonathan não mostrava misericórdia. Só quando mudou sua perspectiva e saiu do papel de vítima conseguiu reunir empatia com Elisa; assim foi possível restabelecer a proximidade, o que também melhorou a vida sexual do casal.

Se você se descobrir muito apegado a seu ponto de vista sobre determinado problema que tem com alguém, tente em primeiro lugar se distanciar de seus sentimentos e entrar no modo adulto. Assuma a posição do observador. Para isso, você pode, por exemplo, imaginar que você e a outra pessoa estão num palco (você também pode realizar o exercício "As três posições da percepção", na página 128.) Com a ajuda desse distanciamento interior, tente entender a dinâmica do problema. O que você observa? Muitas vezes a questão envolve reconhecimento (um se sente menosprezado pelo outro), justiça (um se sente tratado injustamente pelo outro) e, por consequência, mágoa. Tente não sentir somente sua mágoa, mas também a da outra pessoa. Ponha-se no lugar dela e tente sentir o que ela sente ao falar com você. Quais preocupações, medos e mágoas seu comportamento desperta nela? Tente entender a criança-sombra dessa pessoa. Com esse ato de empatia e compreensão, talvez você consiga enxergar o problema de forma diferente.

Não esqueça: é fácil mudar o que está sob seu controle, mas o outro você não tem como mudar. Assim, se tiver a oportunidade de alcançar o outro pela ponte da empatia, faça-o. Não espere que o outro dê o primeiro passo. Ir ao encontro do outro é sempre um sinal de força, nunca de fraqueza.

Esteja disposto a ouvir

Uma das maiores virtudes é a capacidade de escutar. A escuta é a ponte que conduz à empatia. Mas não quer dizer que seja fácil. A mente se distrai e os pensamentos acabam voltando para nós mesmos. Além disso, tenho a impressão de que, em termos culturais, estamos cada vez piores em nossa capacidade de ouvir. Na geração dos meus pais, era comum manter uma conversa numa mesa com até 12 pessoas. Hoje em dia é difícil manter uma conversa com apenas quatro, porque todos interrompem uns aos outros, ficam em conversas paralelas ou mexem no celular.

A escuta pode ser treinada, basta *praticar*. E não é preciso técnica, mas um *desejo* genuíno de *realmente* se interessar pelo que o outro está dizendo. O primeiro passo é esquecer os próprios pensamentos e preocupações por um tempo. Você pode imaginar que está guardando tudo isso num cofre e o trancando. A chave está no seu bolso, fique tranquilo que você vai poder abri-lo quando quiser. Suas preocupações e reflexões estarão seguras lá dentro. Quero lhe lembrar que girar ao redor de si mesmo o tempo todo é, na maioria das vezes, uma tentativa de adquirir controle sobre os problemas, mas, se os problemas estiverem seguros e guardados dentro de um cofre nos momentos em que ouvimos, é possível relaxar e dar ao outro toda a nossa atenção. Concentrar-se no interlocutor também pode levar a um saudável autoesquecimento.

Por meio de determinadas palavras-chave, a maioria das pessoas acaba se voltando para si mesma (seja em pensamento ou verbalmente). O que nos leva ao primeiro passo para uma boa escuta: trate de manter a atenção voltada para a pessoa diante de você. Se ocorrerem pensamentos autorreflexivos, expulse-os de imediato e conduza a atenção de volta ao outro. Muitas pessoas são propensas a falar de si mesmas: queremos contar sobre nossa viagem à Itália e zás!, o outro toma a palavra e começa a falar sobre viagens que *ele* fez. É chato, não é? (Uma dica rápida: mesmo em situações simples como essa você pode interferir e retomar a palavra e a atenção. Diga algo como "Ei, eu estava contando uma história!".)

O segundo passo é dizer com suas próprias palavras o essencial do que você ouviu, para garantir que entendeu o que o outro quis dizer. Isso se chama *reformulação*. Um exemplo:

Ana: Então, ultimamente… Não sei, tenho me sentido tão cansada! De manhã, trabalho; de tarde, as crianças. E não tem ninguém que possa me ajudar. Meu chefe me pressiona o tempo todo. Às vezes fico tão irritada que acabo brigando com as crianças e com qualquer um que cruze meu caminho. Estou precisando de umas boas férias.
Guilherme: Você realmente deve estar exausta.
Ana: Estou esgotada.

Com a reformulação, Ana sente que foi compreendida e se sente incentivada a continuar. Além disso, se Guilherme não tivesse compreendido corretamente, a reformulação possibilitaria que Ana esclarecesse na hora. Talvez isso tudo soe um pouco superficial, mas vale lembrar que a comunicação geralmente falha nas coisas pequenas. Tendemos a *interpretar* com rapidez o que foi dito e assim, também depressa, corremos o risco de nos enganar, sobretudo quando escutamos com os ouvidos da criança-sombra. Se Guilherme não fosse um amigo ou um colega de trabalho, e sim o marido de Ana, poderia interpretar as palavras dela como uma crítica pessoal. Talvez "ouvisse" algo como: "Não estou fazendo o suficiente por ela." No melhor dos cenários, ele reveria sua interpretação, perguntando de forma amigável: "Você acha que devo ajudá-la mais?" E Ana teria a chance de confirmar a interpretação de Guilherme ou corrigi-la. Acima de tudo, Ana ficaria sabendo que Guilherme se sentiu indiretamente criticado e poderia reagir de forma adequada. Num cenário menos favorável,

Guilherme guardaria sua interpretação para si e partiria para o contra-ataque na mesma hora, fazendo uma longa lista de tudo que *ele* precisa resolver ou tudo que ele faz por Ana. Isso poderia fazer com que Ana se sentisse criticada e ignorada, e assim os dois poderiam começar uma discussão.

Reformular é algo simples e difícil ao mesmo tempo. Simples porque é fácil de entender e pode melhorar muito a qualidade da comunicação. A dificuldade está em chegar ao cerne do que foi dito. Vejamos outro exemplo:

Janaína: Esses dias a Sandra me mandou um e-mail perguntando quem fez o bufê da minha festa de aniversário. Eu perguntei se ela estava organizando uma festa e ela disse que não. Aí hoje o Pedro veio me perguntar se eu vou na festa da Sandra.
Ricardo: Você deve ter ficado bem chateada.
Janaína: Exato!

Reformulações precisas levam a pessoa que está falando a avançar um passo em sua compreensão. No exemplo, graças à reformulação de Ricardo, Janaína percebeu que ficou muito chateada com a atitude de Sandra. Mas reformulações erradas também podem ser úteis, porque obrigam a pessoa a refletir sobre o que realmente quis dizer e, assim, pensamentos e sentimentos são esclarecidos. De um jeito ou de outro, a pessoa sente que o outro está buscando compreendê-la de verdade.

Para fazer isso, iniciar com "Se eu estou te entendendo direito…" ou "Se eu entendi direito…" pode ser de grande valia. Por exemplo: "Se eu estou te entendendo direito, essa situação realmente te tira do sério." Essa é uma forma de convidar a pessoa que fala a corrigir você caso tenha sido mal compreendida, além de reforçar o sentimento de que você está realmente interessado.

Você já deve ter se sentido completamente incompreendido mais de uma vez porque o seu interlocutor insistia no próprio ponto de vista, e talvez você tenha feito um esforço monumental (em vão) para se explicar. As reformulações (principalmente as que começam com "Se eu entendi direito...") são exatamente o oposto das disputas verbais por poder que tanto dão nos nervos.

A reformulação é um método da *abordagem de terapia centrada na pessoa*, cujo pai fundador foi o americano Carl Rogers. Eu mesma me profissionalizei nessa abordagem e parte substancial do meu trabalho consiste em reformulações. Você pode treinar as reformulações em qualquer tipo de conversa. Em nome da concisão, não voltarei a esse tópico, mas há diversos livros sobre a "escuta ativa" para quem queira se aprofundar no tema.

Estabeleça limites saudáveis

Pessoas que buscam harmonia a todo custo e que tentam se adequar demais costumam também sempre se prontificar para ajudar o próximo, mas, quando apresentam a síndrome do bonzinho como estratégia de autoproteção, muitas vezes ultrapassam seus limites físicos e mentais para ajudar os outros. Às vezes chegam a impor sua ajuda, pois precisam da pessoa que percebem como necessitada para estabilizar a autoestima. Nisso, negligenciam as próprias necessidades. Ao invés de se cuidarem, cuidam do outro, mas esperam em troca a gratidão e o reconhecimento devidos. Sua criança-sombra acha que só merece reconhecimento quando consegue ser útil.

Se você já andou de avião, sabe que antes da decolagem são apresentadas as normas de segurança, caso aconteça uma emergência. Sabe aquela orientação de pôr primeiro a própria máscara de oxigênio antes de ajudar alguém? Pois é. Só quando temos oxigênio suficiente para conseguir respirar é que podemos cuidar de outras pessoas. Não podemos assumir responsabilidade por outros se não cuidamos de nós mesmos.

Caso você esteja sofrendo da síndrome do bonzinho, explique à sua criança-sombra que ela não precisa se sacrificar para ser valorizada. Seu adulto interior precisa assumir a responsabilidade por seus sentimentos e necessidades, tratando de satisfazê-los de forma ativa. Não espere que as pessoas próximas ou aquelas que você ajudou cuidem de você. É importante que você tenha mais consideração por si mesmo. Isso não significa ser egoísta ou implacável. É claro que sua solidariedade não deixa de ser uma bela qualidade; você pode mantê-la, mas quanto mais seguro de si estiver, melhor conseguirá identificar quem realmente precisa da sua ajuda.

Procure balancear bem o cuidado consigo mesmo e o cuidado com os outros. Para isso, em primeiro lugar, é importante reconhecer o direito ao autocuidado e à autoafirmação que todos nós temos. Muitas pessoas inseguras duvidam de seus "direitos". Coloque a criança-sombra no colo e explique a ela que você está muito feliz por ela existir, que ela não precisa lutar para ser aceita. Explique também que vocês já são grandinhos e que o mundo não é o mesmo de quando você era pequeno e dependia dos seus pais. Por fim, explique que o adulto interior é o mais indicado para cuidar dela e que ele é quem vai assumir a liderança daqui para a frente.

É provável que você não saiba o que realmente quer, porque sempre se encarregou mais dos desejos de outras pessoas que dos próprios. Por isso, procure ficar atento às próprias necessidades, conforme vimos em "O que posso fazer se não consigo sentir?", na página 70. Coloque-se no foco da sua percepção. Preste atenção também em seu corpo. Muitas pessoas, por terem uma criança-sombra muito insegura, desenvolveram o hábito de não perceberem mais a si mesmas, o que inclui a percepção que têm do próprio corpo. Mais adiante vou trazer alguns exercícios para o corpo.

Na interação com outras pessoas, também tente observar de forma consciente como você se sente em relação a elas. Reprima seu impulso de adivinhar os desejos e necessidades alheios. Acima de tudo, abra a boca e diga o que quer e o que não quer. Assuma a responsabilidade por si mesmo. O outro não é obrigado a adivinhar seus pensamentos, portanto não espere isso dele.

Se você se vê preso num relacionamento no qual depende de uma pessoa que não muda por mais que você tente ajudá-la, bote na cabeça que as coisas só *parecem* estar relacionadas a essa pessoa. O outro é uma tela de projeção para sua criança-sombra, que deseja reconhecimento a qualquer custo. A criança-sombra usa o outro para demonstrar a si mesma que tem algum valor. Lembre-se: seu valor não se mede pelo comportamento de seu parceiro. Liberte-se da condição da "autoestima espelhada" (que descrevi na página 36). Se você já vem correndo atrás do reconhecimento de seu parceiro ou sua parceira há tempos, na esperança de que ele ou ela mude, desista de uma vez por todas e comece a reconhecer a si mesmo. Reflita sobre o que você pode fazer para se sentir realizado fora da relação. É muito importante que você seja responsável por sua felicidade. Comece um novo hobby ou retome um interesse. Saia com seus amigos. Faça um curso. Garanta seu bem-estar. Faça de tudo para ficar mais feliz e satisfeito e não espere que seu parceiro mude.

Caso esteja sofrendo de medo passivo de compromisso, significa que você sempre escolhe parceiros que ou não se envolvem inteiramente com você, ou que você passa a considerar desinteressantes assim que eles se envolvem. Ocupe-se também disso (nas referências bibliográficas você vai encontrar alguns livros sobre o tema). Volte sua atenção e sua energia para si mesmo. Assim você consegue uma distância saudável de seu relacionamento infeliz e cuida da única pessoa sobre a qual exerce influência direta. Basicamente, seu adulto interior só precisa direcionar sua ampla solidariedade para si mesmo, isto é, para sua criança-sombra. Quanto melhor você cuidar de si, melhor recarrega as energias. Com isso você também vai poder oferecer muito mais ao mundo.

Observação: A criança-sombra e o *burnout*

O *burnout* pode acontecer quando se realiza um esforço tremendo, mas sem sucesso. Esse insucesso seria falta de reconhecimento do chefe e dos colegas de trabalho e/ou falta de resultados concretos do projeto em si. Profissionais de saúde, cuidados e atendimento social são os mais suscetíveis ao *burnout*. Enfermeiros e médicos, por exemplo, costumam sentir que não conseguem atender a todos apesar dos esforços e da agenda apertada. Mas também gestores, atletas, funcionários públicos, trabalhadores assalariados e estudantes relatam cada vez mais a sensação de esgotamento. O que explica o aumento no número de casos de *burnout* diagnosticados é o fato de que médicos e psicólogos se tornaram mais sensíveis aos sintomas, mas também o fato de que, nas últimas décadas, a pressão no trabalho sofreu um aumento gigantesco. Em muitos setores, os funcionários precisam realizar cada vez mais em menos tempo.

A síndrome de *burnout* é uma forma de depressão causada pelo esgotamento. A expressão *burnout*, porém, se consolidou por ser socialmente mais aceita. É mais fácil para os diagnosticados confessar um *burnout* do que uma depressão. A maioria das pessoas relaciona a depressão a um "fracasso pessoal" e a uma "doença mental". *Burnout*, aparentemente, soa melhor.

Além de condições de trabalho difíceis, existem predisposições pessoais que favorecem o desenvolvimento do *burnout*. A criança-sombra de pessoas diagnosticadas costuma apresentar o perfeccionismo como estratégia de autoproteção. Pelo fato de que não só querem realizar um bom trabalho, mas também querem ser perfeitas no que fazem, essas pessoas tendem a se perder nos detalhes. Os candidatos à síndrome de *burnout* não raramente são *workaholics*. Um sintoma comum do trabalho compulsivo é que a pessoa afetada não consegue mais diferenciar o que é importante daquilo que não é: em algum momento, a seus olhos, escolher o que vai usar no dia seguinte já na noite anterior se tornou tão importante quanto preparar o relatório anual. Ela simplesmente quer estar no controle de tudo. Quero lembrar a você que o perfeccionismo e a obsessão por controle são quase irmãos.

Além da combinação entre condições de trabalho difíceis e perfeccionismo, as pessoas que estão se encaminhando para um *burnout* também apresentam mais duas características que as predispõem a essa síndrome: em primeiro lugar, elas têm pouca noção dos próprios limites e, em segundo, não conseguem impor limites às exigências de seu entorno.

A criança-sombra de pessoas com *burnout* está inteiramente envolvida com sua estratégia de hiperadequação. Isso significa que se esforça tanto para fazer tudo certo e bem-feito (para receber elogios e reconhecimento ou ao menos para evitar reprimendas) que, no fim, não lhe resta mais sensibilidade para sentir a si mesma. É por isso que parte essencial do trabalho psicoterapêutico com pacientes diagnosticados com *burnout* é fazer com que consigam sentir a si mesmos de novo. Isso é feito por meio de exercícios que estimulam a autopercepção. Como já enfatizei diversas vezes, as pessoas cuja estratégia de autoproteção essencialmente engloba estratégias de adequação estão focadas demais nas necessidades e exigências de seu entorno e perdem de vista as próprias necessidades. Por isso é de suma importância que elas aprendam a perceber as próprias necessidades. O próximo exercício pode ajudar você nisso.

O segundo passo é fazer com que os pacientes assumam responsabilidade pelas próprias necessidades: eles devem aprender a cuidar de si. Para isso, precisam aprender a se autoafirmar. O *burnout* nem ao menos teria surgido se a pessoa afetada tivesse negado de antemão algumas exigências. No local de trabalho, assim como na vida pessoal, temos o direito de dizer não. Vou voltar a falar sobre isso.

Portanto, se você quiser evitar a síndrome de *burnout*, exercite sua autopercepção, torne-se sensível aos próprios limites e aprenda a se afirmar. Muitos exercícios deste livro podem ajudar nisso. Além disso, avalie com sua mente adulta e crítica suas condições de trabalho. Pergunte-se por que exatamente você está se desgastando tanto. Avalie se isso é *realmente* necessário e se não seria melhor trocar de unidade, de setor ou até de emprego. É muito importante que você se distancie um pouco da criança-sombra e de suas estratégias de autoproteção e veja sua situação de fora. Como você sabe, sou uma grande fã dos argumentos. Tente refletir sobre essa situação fazendo uso de argumentos razoáveis. Ou seja, crie uma imagem realista de seu desempenho no trabalho. Observe mais de perto tanto seus pontos fortes quanto seus pontos fracos. Com o uso de argumentos, veja quando exatamente você atinge o limite de seu desempenho pessoal. Para isso, pode ser muito útil conversar sobre seu desempenho e sobre os requisitos do trabalho com colegas. Também faça uma revisão de seus motivos interiores: o que impulsiona você dessa forma? São realmente só as exigências externas? Ou sua criança-sombra, com seu medo de fracassar ou de ser rejeitada, tem um papel significativo nisso tudo? É provável que tenha.

Uma vez concluída sua análise racional, ponha a criança-sombra no colo e explique a ela mais ou menos assim: *Pobrezinha, você está sempre se esforçando tanto para fazer tudo certo e bem-feito... E suas forças já estão quase no fim. Mas veja bem, você só precisa fazer bem o que lhe cabe, isso basta. Não precisa provar nada a si mesma o tempo todo. Sei que foi bem difícil lá atrás, com seus pais... Você sempre se esforçou tanto para deixá-los orgulhosos e contentes. Mas isso já passou. Nós crescemos e podemos tomar conta de nós mesmos. E você é suficiente! É perfeita do jeito que é. Você merece descansar e fazer uma pausa. Nosso valor não depende do nosso desempenho no trabalho. Além disso, vamos dizer não com mais frequência e só concordar em fazer o que a gente realmente é capaz de fazer. Eu, seu adulto interior, vou ser responsável por você daqui em diante. Não vou aceitar mais todas as tarefas que vêm pela frente e assim vou proteger você. Não vai adiantar nada se entrarmos em colapso. Pobrezinha, precisamos descansar antes que isso aconteça, pense nisso. Na verdade, é um dever nosso garantir que estejamos bem. Essa é a única maneira de nos preservarmos, pelo bem da nossa família e da nossa empresa...*

O exercício a seguir vai ajudar você a se tornar mais perceptivo em relação a si. Ele não é indicado apenas para candidatos ao *burnout*, mas também para todos aqueles que desejam estar mais atentos ao próprio corpo.

Exercício: Como dissolver sentimentos

Você pode realizar este exercício em pé, sentado ou deitado. Ele é baseado no método Sedona, de Lester Levenson.

1. Feche os olhos e perceba o que está sentindo no momento. Sinta seu corpo. Repare em sua respiração. Leve sua atenção interior pelo corpo inteiro. Tente perceber as sensações. Identifique onde existe tensão. Direcione sua atenção para as partes que estão tensas e contraídas. Relaxe-as imaginando que você está enviando sua respiração para lá.

2. Pense num problema do qual gostaria de se libertar. Perceba como ele se expressa em seu corpo. Você sente um aperto? Pressão? Seu coração acelera? A respiração fica entrecortada? Perceba e acolha esse problema.
3. Fortaleça sua percepção do problema imaginando como você intensifica sua estratégia de autoproteção. Se for o perfeccionismo, imagine o que você pode fazer para que tudo fique melhor e ainda mais perfeito. Se é evasão e repressão, imagine que se isola completamente e não faz mais nada. Se é agressão-ataque, imagine que se torna ainda mais agressivo. Perceba como seu corpo se sente quando você intensifica as estratégias. A pressão no peito aumenta? A sensação de enjoo fica mais forte? Você começa a suar?
4. Agora, tente acessar esse sentimento com a respiração e deixe que as imagens do seu problema desapareçam da mente. Expulse-as. Perceba apenas a sensação física. Acesse com a respiração os locais onde esses sentimentos residem, até que a sensação física tenha desaparecido. Tente averiguar como é isso, essa sensação de não as sentir. No dia a dia, esteja atento a seu corpo, sinta quando ele entra no modo criança-sombra ou no modo problema. Acesse esses locais com sua respiração e dissolva o sentimento no nível puramente físico. Em seguida, você pode alternar de forma totalmente consciente para o modo criança-sol, como já aprendemos.

Aprenda a dizer não

Um dos maiores problemas das pessoas cuja criança-sombra acha que não é suficiente é não conseguir dizer não. Elas têm medo de desapontar os outros. Querem agradar a todos. O medo que a criança-sombra tem de ser rejeitada é o que orienta suas ações. Ela tem a esperança de que, se fizer tudo certo, talvez seja suficiente. Mas, como acontece com todas as estratégias de adequação, o problema é que a avaliação do que é certo e errado não é feita com base nos argumentos sensatos do ego adulto, mas *na opinião dos outros*.

Uma vez mais, quero chamar a atenção para a projeção que ocorre em muitos desses casos: imagino dentro da cabeça do outro a decepção que ele sentiria – de acordo com a minha opinião – se eu dissesse não. Para impedir que isso aconteça, me precipito e obedientemente respondo que sim quando se trata, por exemplo, de assumir uma tarefa voluntária. Assim, sempre me ofereço, seja no clube, na associação dos moradores ou na escola das crianças, quando é necessário um trabalho. Mesmo sobrecarregada pelas tarefas do dia a dia. Todo esse esforço é feito para tranquilizar a pobre criança-sombra. O problema é que, dentro da realidade da criança-sombra, um "não" pode levar a sanções e até mesmo à exclusão da sociedade. Mas isso não é verdade. Pacientes que aprendem a dizer não relatam com certa frequência – e surpresa – que as pessoas ao seu redor não veem mal algum se uma vez ou outra eles não se oferecerem para ajudar ou responderem com um não. Além disso, eles relatam que seus níveis de energia estão muito melhores desde que assumiram uma responsabilidade maior sobre os próprios desejos, recusando alguns pedidos de vez em quando. Isso, por sua vez – quem diria! –, faz com que seu humor melhore. E, como já vimos, o bom humor é o melhor pré-requisito para ser uma boa pessoa. Se estamos bem-humorados e com bons níveis de energia, também é possível fazer um ou outro favor de coração. Mais uma vez, quero enfatizar que não se trata de se tornar mais egoísta, mas de cuidar mais de si. Pessoas que estão muito ocupadas com sua estratégia de autoproteção também costumam estar estressadas, esgotadas e mal-humoradas. Isso quer dizer que não conseguem dizer *nem sim nem não* de coração.

Se você não tem certeza de que é seu direito recusar um pedido ou se tem medo de causar muita decepção, peça a seu adulto interior que o ajude com argumentos racionais. Por acaso essa pessoa teria o direito de ficar decepcionada ou com raiva? Se sua vizinha pede para levar doces para a festa e você não tem tempo nem vontade de fazer, diga isso a ela e pergunte-lhe se não há outra maneira de contribuir. Que direito ela teria de culpar você por isso e quais argumentos falariam a seu favor? Que direito tem seu parceiro de ficar com raiva se você quiser ser mais leal aos próprios desejos e necessidades? Lembre-se também de que um favor que relutamos em fazer nos deixa ressentidos e, dessa forma, prejudica mais a relação do que um "não" honesto. Sem contar que sempre é possível chegar a um meio-termo. Você já é adulto e consegue moldar seus relacionamentos.

Confie em si mesmo e na vida

O controle é uma resposta ao medo. E, como o medo é parte essencial da vida, todos nós temos grande necessidade de exercer controle sobre nós mesmos e sobre o nosso entorno. No entanto, em algumas pessoas esse desejo é mais forte que a média; elas precisam ter muito controle para se sentirem seguras, pois sua criança-sombra acha que é impotente e que se encontra à mercê dos outros. Ela morre de medo de se libertar e confiar porque não confia em si mesma. Caso você se identifique com essa descrição, seu adulto interior deveria se perguntar o que poderia acontecer na pior das hipóteses. Muitas vezes essa pergunta não é pensada a fundo, mas parte do medo difuso da criança-sombra. Então se pergunte o que realmente poderia acontecer se você relaxasse um pouco e confiasse mais na vida. Pense a fundo sobre o cenário que tanto o assusta. Leve suas fantasias até as últimas consequências e se pergunte mais uma vez: *E agora?* Encare seu pior pesadelo e se pergunte se ele é mesmo assim tão terrível e se não seria possível tirar algum proveito dessa situação.

Depois de refletir bem sobre esse cenário assustador, estabeleça uma distância entre você e sua criança-sombra assustada e, no modo adulto, explique o seguinte à criança (adapte de modo que faça sentido para você): "*Pobrezinha, você ainda traz muitas feridas do passado. As coisas realmente não foram fáceis com seus pais, você nunca teve permissão para se afirmar e sempre sentia que não era boa o suficiente. Mas nós já crescemos e os seus medos são bastante improváveis de se concretizar. Agora que crescemos, podemos buscar ajuda a qualquer momento que tivermos necessidade. E podemos nos defender. Também já aprendemos muito e somos muito capazes. Lembre-se: hoje somos livres e podemos ter vontade própria. Afinal, o que poderia acontecer de ruim com a gente? Na pior das hipóteses, receberemos o seguro-desemprego e ainda estaremos muito melhor do que muita gente. Na pior das hipóteses, [nome do seu parceiro] vai nos deixar, mas vamos sobreviver a isso também.*

Procure sempre lembrar a si mesmo que seus medos são projeções. A maioria das coisas que tememos nunca acontece de fato. E, se algo acontecer, vamos dar um jeito. É de suma importância que as pessoas cuja criança-sombra é atormentada por muitos medos se desabituem a acreditar em tudo que ela pensa. Quantas vezes seus medos já enganaram você? Quantas vezes deu tudo mais certo do que você esperava? Quantas vezes deu tudo muito mais errado? Se a voz do seu medo (isto é, sua criança-sombra) trabalhasse como um consultor na sua empresa, você já a teria dispensado há muito tempo, tamanha a quantidade de prognósticos que se provaram falsos. A questão é que simplesmente não temos controle sobre muitas coisas na vida e muitas de nossas previsões (sejam boas ou ruins) falham. Portanto, deixe claro para si mesmo, repetidas vezes, que de qualquer maneira as coisas grandes não estão em suas mãos. Quanto mais tenso você ficar, quanto mais tentar agarrar e controlar o incontrolável, mais difícil vai ser para você e para as pessoas ao seu redor.

Pessoas cuja estratégia de autoproteção é a obsessão por controle costumam se impor obrigações demais, o que pode levar a atos ou pensamentos compulsivos. Em casos menos graves, a pessoa afetada segue uma rotina estrita, com a qual ela mesma sofre. Abrir mão do controle é difícil, porque para isso é necessário fazer justamente o que ela menos consegue fazer: confiar.

Mas como aprender a confiar? Se não sou muito religiosa e não entrego meu destino nas mãos de Deus, preciso de uma boa dose de autoconfiança para me sentir capaz de enfrentar a vida. Afinal, quanto mais confio em mim mesma, maior vai ser minha convicção de que também sei reconhecer uma derrota e de que sou capaz de sobreviver a ela. Em suma, minha obsessão por controle deveria me proteger dos sentimentos negativos que me assolam quando cometo um erro. Então, se eu quiser me libertar mais, vou precisar aprender a suportar sentimentos negativos. Aqui entra de novo a questão da tolerância à frustração, que já mencionamos algumas vezes. Só quando eu confiar em minha capacidade de tolerar a frustração é que minha mente vai estar livre para acreditar que provavelmente vou ser bem-sucedida ou de que nada de mau vai me acontecer.

A equação do medo é *probabilidade de ocorrência x fator de risco*. Por exemplo, pessoas que têm muito medo de voar sabem que a probabilidade de o avião cair é mínima, mas, como o fator de risco em caso de queda é muito grande, voar de avião simplesmente as aterroriza. Se uma pessoa tem muito medo de fracassar, ela considera enormes *tanto* a probabilidade de ocorrência *quanto* o fator de risco. Ou seja, em primeiro lugar, a criança-sombra dela pensa que provavelmente vai fracassar e que não vai sobreviver ao fracasso. Mas podemos agir em ambas as frentes para remediar a situação: para isso, a criança-sombra precisa de consolo e apoio para suas crenças negativas. Como sempre, é questão de dissolver as projeções. Já aprendemos como fazer isso. Ampare sua criança-sombra e explique o mundo a ela. Também fortaleça sua criança-sol e seu ego adulto. O adulto interior, como sempre, é fortalecido por argumentos.

Nesse sentido, não se enxergar como tão importante assim pode ser um bom argumento para o adulto interior. Quando nos entregamos a nossos medos relacionados ao fracasso, às vezes achamos que somos muito importantes, mas quando o ego adulto se distancia um pouco da criança-sombra – quando transita para a terceira posição da percepção –, ele constata que seu fracasso é completamente irrelevante em comparação aos acontecimentos mundiais. O problema, na verdade, é que nossos medos nos levam a acreditar que somos o centro do mundo. Isso pode soar contraditório, pois seria de esperar que precisamente por causa desses medos somos reservados e humildes. Isso é verdade até certo ponto, mas o medo por si só nos torna egocêntricos. É por isso que relativizar de quando em quando a própria importância e relativizar também o impacto do seu potencial fracasso pode ser benéfico e fazer você relaxar.

Mas talvez sua obsessão por controle tenha chegado ao ponto em que você também sente muita necessidade de dominação? Talvez você sempre precise ter razão? Nesse caso, questione os motivos de suas ações: o que isso realmente representa para você? Esclareça a si mesmo que não se trata somente de ganhar ou perder; muitas vezes há outros valores que são muito mais importantes, como compreensão, cooperação, amizade e respeito.

Falando em respeito, esse talvez seja um ponto delicado. Verifique se você exige mais respeito das pessoas do que demonstra por elas. É provável que você insista em ser tratado com muito respeito e muitas vezes acabe não percebendo quanto você obriga as pessoas a se adequar às suas expectativas. Saiba que, com suas exigências, você coage as pessoas para que elas a todo momento vejam em você um exemplo a seguir e que você, dessa forma, fica devendo a elas o respeito que exige para si. Portanto, certifique-se de estar sempre em pé de igualdade com as outras pessoas, pois quando está preso em sua criança-sombra você perde altura, luta ainda mais por seu direito e busca alcançar uma posição vantajosa custe o que custar. Então, com a mente adulta, entenda que você cresceu e que o mundo lá fora não é "papai e mamãe". Você é livre e ninguém tem poder sobre você. Sua luta por dominação causa muito mais problemas do que soluções. Hoje em dia, você é adulto e autônomo. E é por isso que pode simplesmente abrir mão do controle de vez em quando. No fundo, você também quer deixar as coisas acontecerem e confiar.

Exercícios de relaxamento e de meditação podem ajudar a confiar e se libertar. Mas seja paciente consigo caso precise de um tempo a mais para aprender, pois seus padrões elevados costumam deixar você impaciente e frustrado quando não consegue algo de primeira. Exercícios para a libertação consciente se originaram das meditações de ensinamentos budistas. Caso isso seja de seu interesse, recomendo que compre um livro ou frequente algum centro especializado para se aprofundar no assunto.

Regule suas emoções

Quando estamos presos em nossa criança-sombra, não são as crenças em si que nos dão trabalho, mas os sentimentos dolorosos que acompanham esse estado. Na maioria das pessoas, certo tipo de sentimento se destaca em primeiro plano. Esse sentimento surge de forma recorrente e define, por assim dizer, a temática central dessas pessoas. Em algumas, esse sentimento é o de abandono ou de solidão. Em outras, é o de insegurança ou de vergonha. Algumas sofrem de sentimentos exagerados de culpa, outras experimentam diversas formas de medo. Existem pessoas que são atormentadas pelo ciúme; outras, pela inércia. E não são poucas as que regularmente são atormentadas por estados de espírito depressivos.

Quando esses sentimentos e esses estados de espírito já atingiram um grau máximo de intensidade, é difícil regulá-los. Estudos sobre o cérebro mostraram que toda agitação psicomotora intensa – sejam sentimentos bons ou ruins – bloqueia o acesso a soluções que já conhecemos. Por isso é crucial reconhecer já no estado inicial quando exatamente o adulto interior deve intervir. Mais uma vez, quero ilustrar esse ponto com um exemplo que ocorreu no meu consultório.

Suzana (32 anos) sofre com forte insegurança. Durante a sessão, ela me contou como passou uma noite inteira observando a pessoa da qual gostava dançando com outra. Depois disso, ela passou o fim de semana inteiro deitada na cama, totalmente depressiva. Segundo Suzana, quando está presa nesse sentimento, ela não consegue encontrar uma "saída". O fato de que a pessoa da qual gostava a deixou plantada e preferiu chamar outra mulher para dançar afetou em muito sua autoestima, o que, por sua vez, desencadeou a depressão. Esse colapso psicológico poderia ter sido evitado se Suzi tivesse começado a cuidar de si mesma com antecedência. E ela o teria conseguido se tivesse percebido mais cedo que, naquele momento, estava presa em sua criança-sombra, cujas crenças incluem "É tudo culpa minha" e "Sou uma chata". Então ela poderia ter confortado sua criança-sombra e explicado que seu valor permanece inalterado seja lá quem for a pessoa com a qual esse homem estivesse dançando. Em seguida, sua adulta interior poderia ter esclarecido à criança que ela caíra na armadilha da autoestima espelhada. Além disso, a adulta teria repreendido a criança por sempre se apaixonar por homens difíceis e temperamentais, pois é claro que já havia uma história entre os dois e não valia a pena estragar sua noite por causa de um cara assim. Por fim, a adulta teria procurado outra pessoa para dançar ou deixado o recinto e resolvido fazer outra coisa em cima da hora. Talvez ela tivesse encontrado uma amiga ou ido ao mesmo bar de sempre e tentado se animar e se distrair conversando com amigos. Resumindo, o problema foi que Suzana não percebeu a tempo (mais uma vez) que naquela noite estava no modo criança-sombra e deixou que esta tomasse as rédeas da situação em vez de interferir e cuidar de si.

Se você quiser regular suas emoções ou, melhor ainda, evitar certos tipos de sentimento, precisa começar a se cuidar quanto antes. Se sua criança-sombra for propensa a sentimentos de abandono e de solidão, por exemplo, e você estiver solteiro, trate de evitar certos gatilhos que ativam esse sentimento mantendo-se ocupado nos fins de semana para não afundar em sentimentos negativos.

Se tiver tendência ao ciúme, cuide de si mesmo planejando algumas estratégias com as quais você vai poder estar no controle desse sentimento. Por exemplo, se você e seu parceiro tiverem sido convidados para uma festa, prepare sua criança-sombra de antemão para certos tipos de situação nos quais seu ciúme poderia atacar. Pense em maneiras pelas quais seu ego adulto poderia permanecer na liderança. Identifique com antecedência os gatilhos que poderiam surgir pela frente e planeje de forma estratégica como você vai se comportar.

Na maioria das vezes, caímos em estados emocionais dolorosos porque não nos preparamos para situações críticas e/ou porque não detectamos a tempo quando a criança-sombra está assumindo o controle. Alguns estados emocionais podem ser regulados se reconhecermos seus gatilhos. Por exemplo: quando quero me libertar de um vício, me certifico de não entrar em contato com a substância. Mas, na maioria dos estados emocionais, faz mais sentido planejar estratégias para poder lidar com os gatilhos em vez de evitá-los (até porque muitas vezes isso se mostra impossível). A seguir, gostaria de explicar melhor como fazer isso, usando como exemplo pessoas cuja estratégia de autoproteção seja "agressão-ataque", porque elas tendem a sentir uma raiva que a princípio parece incontrolável.

Observação: A criança-sombra impulsiva

Nas pessoas impulsivas existe uma conexão quase instantânea entre estímulo e reação. Ou seja, o espaço de tempo entre o gatilho que desencadeia a raiva e a reação é extremamente curto. Você com certeza se lembra do Miguel do começo do livro, que, por causa do refrigerante esquecido, começou a espumar pela boca. Esse é um exemplo típico de uma pessoa com essa estratégia de autoproteção.

Se você é como Miguel, é fundamental que identifique as verdadeiras causas da sua raiva. No caso de Miguel, a questão não foi o refrigerante em si. De fato, sua raiva era causada pela criança-sombra, que se sentiu magoada e que apresentava crenças como "Nunca sou atendido" e "Meus desejos são ignorados!". Ou seja, a raiva de Miguel foi gerada por sua interpretação da realidade. Se tendemos a acessos de raiva impulsivos, é especialmente importante conhecer os próprios gatilhos porque é exatamente aí que devemos nos prevenir. Temos que interceptar a raiva ainda em seu estágio inicial ou nem sequer permitir que venha à tona, pois, se você chegar ao estágio em que o sangue ferve, não há como voltar atrás. Mas, se estivermos preparados e conhecermos nossos gatilhos, o adulto interior sempre vai ter uma oportunidade melhor para reagir de forma equilibrada. Então, se você sabe que seus pais, sua colega de trabalho ou seus filhos adolescentes rapidamente o tiram do sério, você pode se prevenir com a ajuda do seu adulto interior, conscientizando-se de seus pontos sensíveis e, também, pensando antecipadamente sobre como gostaria de reagir. Para descobrir quais são seus gatilhos, é bom refazer o exercício "Confronte a realidade", na página 158. Tome consciência das conexões existentes entre o acontecimento objetivo e sua percepção subjetiva. É provável que você possa reduzir as diversas situações que o irritam às suas crenças negativas ou às mágoas da sua criança-sombra.

No exemplo a seguir temos um caso específico: Marcos (32 anos) teve uma infância muito difícil. Ambos os pais eram alcóolatras e violentos. Mas, apesar disso, ele conseguiu se virar muito bem. Só sua impulsividade lhe causava problemas de vez em quando. Sua criança-sombra reagia de forma muito sensível quando, de alguma maneira, achava que não lhe era dado o devido respeito. Bastava um olhar (aparentemente) torto para que Marcos se sentisse provocado e achasse que estavam rindo dele. Então partia direto para o ataque verbal, que não raro culminava em agressão física. Quando conheceu sua criança-sombra, Marcos também identificou uma série de crenças negativas. Uma das mais importantes era "Sou impotente". Os sentimentos de impotência e desamparo eram o que alimentava sua raiva impulsiva. Esse, inclusive, é o caso de muitas pessoas que tendem a agredir e atacar, até porque a agressão tem o sentido milenar de fazer com que nos libertemos do estado de impotência.

Para aprender a controlar a raiva, Marcos teve que aprender a pegar sua criança-sombra carinhosamente pela mão e a permanecer no modo adulto, isto é, em pé de igualdade com a pessoa que aparentemente o estava provocando. Muitos dos exercícios sobre os quais já falamos neste livro o ajudaram nisso. A prática das chamadas *estratégias de reflexão* também foi muito útil. Ainda voltarei a falar sobre elas. Estratégias de reflexão reduzem o sentimento de desamparo subjetivo e, por isso, podem ajudar a pessoa a alcançar certa serenidade.

Não é só o sentimento de inferioridade que provoca raiva; também agredimos de uma posição superior. Em toda parte, chefes descontam a frustração em subalternos; pais descontam em filhos; professores descontam em alunos, etc. E, é claro, pessoas que se julgam acima ou na mesma altura que outros também atacam. A raiva costuma surgir quando as coisas não acontecem do jeito que queríamos. Para tanto, basta achar que não fomos compreendidos por nosso parceiro ou ele esquecer de tirar a roupa da máquina. A raiva é uma resposta à perda de controle. Aqui a impaciência também desempenha um papel importante; ela é, por assim dizer, a irmã caçula da raiva. Pessoas impulsivas, no geral, também são impacientes. Mas impulsividade não é algo que acontece sem mais nem menos, não é uma lei da natureza, tampouco uma fatalidade. É possível ter influência sobre a própria impulsividade, como todas as pessoas com essa disposição devem admitir se forem autocríticas. Afinal, cada acesso de raiva é precedido por um momento ínfimo de livre escolha. É por isso que a pessoa consegue manter a compostura diante do patrão, mas em casa, com a família, aparentemente não consegue. Uma cliente me contou que ela passou a controlar seus acessos de raiva graças a uma simples frase, que eu soltei uma vez (sem sequer imaginar o efeito que teria): "Deixa para lá!"

A meditação da vaca

A raiva também pode ser facilmente dissolvida pelo humor. Vou lhe contar uma breve história: minha amiga Helena, que também é psicóloga, me acompanhou a um dos meus seminários, onde também atuou como terapeuta. À noite, estávamos sentadas confortavelmente quando ela, do nada, me pediu para imitar o olhar de uma vaca. "Eu não vou fazer isso!", falei. "Anda, faz", ela insistiu. Pois bem. Consegui fazer um olhar meio tonto por alguns segundos, até que tive que rir. Helena então me explicou que às vezes faz a *meditação da vaca* com seus clientes. As pessoas da região em que ela atua, a Frísia Oriental, conseguem tirar um proveito maior disso porque existem mais vacas que habitantes na região, então, quando o cliente fazia a "cara de vaca", Helena o imitava e logo depois pedia que ficasse com muita raiva. Então o cliente respondia: "Não consigo!" E ela: "Pois é!" Ela explicou que é impossível ficar com raiva ao mesmo tempo que se faz cara de vaca. O olhar de uma vaca é relaxado e inocente – não dá para conciliar raiva com isso. E é por isso que Helena recomenda a seus clientes irritadiços e mal-humorados que façam a meditação da vaca todos os dias por dez minutos. Reproduzo aqui essa recomendação.

Para que seu adulto interior não esqueça: nossa postura corporal e nossas expressões faciais influenciam nosso humor. Fisicamente, não é possível associar raiva a uma expressão facial totalmente relaxada (a cara de vaca).

Exercício: Uma breve introdução à rapidez de raciocínio

Se você ainda não dominou a meditação da vaca a ponto de se manter num estado de completo relaxamento enquanto é atacado, as estratégias de resposta podem ser úteis. Trata-se de respostas prontas, predefinidas, que cabem em qualquer situação. Em seu livro *Schlagfertigkeit* (Rapidez de raciocínio), Matthias Nölke fala dessas respostas, que chama de *réplicas instantâneas*. Numa analogia ao café instantâneo ou à sopa instantânea, a frase já vem pronta e é possível utilizá-la no ato. O esforço mental é zero. Se tivéssemos que pensar numa resposta, o momento já teria passado.

Existem duas situações para as quais seria interessante ter uma frase instantânea na ponta da língua:

1. Pequenas implicâncias (cuja intenção não é magoar o outro) entre amigos e colegas de trabalho. São inofensivas e também é possível abstrair com uma risada.
2. Afrontas agressivas, sejam diretas ou indiretas, que magoam e/ou irritam muito mais.

Com as seguintes réplicas instantâneas é possível enfrentar praticamente todas as insolências (reais ou aparentes):

- Você disse alguma coisa?
- Quando quiser a sua opinião, eu aviso.
- Olha quem fala!
- Isso é quadrado demais para a minha cabeça redonda.

Essa última, segundo Nölke, pertence à categoria das chamadas *réplicas nonsense*. São respostas que na verdade não fazem sentido e, por isso, deixam o agressor sem saber o que falar, porque é obrigado a parar por um momento para refletir e só depois entende que foi vítima de uma brincadeira. Da mesma forma, é o que acontece com as chamadas *réplicas nulas*. Dentro do contexto da conversa, são frases que não fazem sentido algum e, por isso, reduzem a afronta ao absurdo. Nölke também fala sobre o *teatro do absurdo*. Para isso, é importante que você fique muito sério, com a expressão facial e o tom de voz em aparente concordância com o que está sendo falado, mas depois diga algo completamente absurdo como "Depois de 120 dias é que se colhe o trigo" ou "De grão em grão a galinha enche o papo". A última é um desses ditados populares que você pode colecionar. Nesse sentido, você também pode "falsificar" os ditados populares existentes, como, por exemplo, "Água mole em pedra dura tanto bate até que fura". Essas frases causam confusão e, assim, o ciclo de ataque e contra-ataque pode ser quebrado. No melhor dos casos, ambos vão começar a rir.

Uma boa técnica para desarmar o opositor é misturar um pouco de humor à situação, exagerando o que foi dito. Se acusam você de ser burro, basta responder: "Posso ser mais burro ainda" ou "Além de burro, não sei cozinhar".

Imagine situações com as quais você tenha dificuldade em lidar e, com toda a calma, prepare algumas réplicas prontas que você poderia ter na manga. Saber que você sempre vai ter a resposta certa ao alcance, aconteça o que acontecer, vai fazer com que se sinta mais forte e diminuir a insegurança.

Para completar, uma réplica instantânea excelente é "Tem razão!". Ela também cabe nos casos em que ocorrem insultos, porque indica que somos confiantes. Tão confiantes que nem levamos o insulto a sério.

Você pode decepcionar

Pessoas que recaem na estratégia de autoproteção da eterna criança não se atrevem a assumir responsabilidade pelas próprias escolhas de vida. O medo de errar acompanha o fato de que essas pessoas têm ideias difusas (no melhor dos casos) a respeito do que querem realmente. Durante toda a vida elas se aperfeiçoaram na adequação e, por isso, o desenvolvimento de habilidades autônomas – entre as quais se inclui o livre-arbítrio – foi deixado de lado. Consequentemente, não têm o costume de andar com as próprias pernas. A criança-sombra delas acha que precisa de uma mão firme, capaz de guiá-la através da vida. Seu ego adulto não tem voz ativa suficiente e precisa ser fortalecido. A criança-sombra depende muito do reconhecimento dos pais e de outras pessoas. De preferência, ela gostaria de atender às expectativas de todos. Ela tem medo de decepcionar. A solução para isso é: *Eu posso, sim, decepcionar!*

Para conseguir se desligar dos pais é preciso ter um critério próprio de avaliação do que é certo e errado. É preciso confiar em si mesmo para tomar as próprias decisões e permanecer fiel a elas. Mas isso também significa que é preciso assumir o erro quando tomamos uma decisão errada. E, para suportar isso, também é preciso certa tolerância à frustração, sobre a qual já falamos. Trata-se de conseguir suportar um fracasso. Esse é o preço da liberdade de escolha. Se delego minhas decisões a meus pais ou a meu parceiro por medo de um eventual fracasso, nunca vou ser independente.

Se você se identifica com isso, esclareça à sua criança-sombra que ela vai sobreviver a um fracasso e que sentimentos negativos também passam. Falhar e fracassar fazem parte da vida. Explique a ela que é muito mais provável ter sucesso em seu caminho. O único fracasso real seria não tentar e permanecer dependente. Ponha a criança-sombra no colo e diga a ela que não faz mal errar. Erros são os melhores professores. Afinal, só nos desenvolvemos a partir de certo grau de sofrimento. Enquanto tudo estiver indo bem, não vai existir motivo para refletir sobre si e mudar alguma coisa. De resto, faça seu ego adulto entender também que a maioria das decisões é reversível. Se uma decisão se mostrou errada, você pode mudá-la. Também nesse caso, esta pergunta é importante: no pior dos casos, o que pode acontecer? Talvez seja útil considerar que você também vai ter que aguentar um monte de sentimentos negativos caso permaneça na atual situação.

Além disso, explique à sua criança-sombra que ela pode decepcionar os outros. Diga-lhe que seus pais são crescidos e podem cuidar de si mesmos. Ela pode se desligar deles. Isso não significa que você não goste mais de seus pais, mas que está seguindo os próprios ideais e trilhando o próprio caminho. Pelo mesmo motivo, você tem o direito de se desatrelar do seu parceiro quando achar que é preciso.

Algumas pessoas também sofrem com o fato de que os pais e/ou o parceiro mandam nelas o tempo inteiro, às vezes fazendo uso de métodos extorsivos. Se isso acontece com você, pare de desmentir as coisas. Não encubra mais a gravidade da situação. Talvez você viva na esperança constante de que seus pais ou seu parceiro um dia finalmente mudem. Com a ajuda de seu adulto interior, faça um levantamento consciente da situação e um prognóstico *realista* de quais são as chances de uma melhora. Pode ser que você também se sinta inseguro em relação à sua parcela de culpa nessa relação difícil que tem com a outra pessoa. Talvez porque essa pessoa viva dizendo isso. Então, com base em argumentos, examine seu ponto de vista.

Mas você também não precisa dar todos os passos de uma só vez. O importante é que comece a trilhar o caminho da autossuficiência. Porém, antes de romper radicalmente com seu parceiro, por exemplo, você pode treinar contradizê-lo mais vezes e defender seu ponto de vista. Talvez seja de alguma serventia se, a princípio, você tomar decisões pequenas, das quais você mesmo se encarrega e as quais leva adiante sozinho.

Observação: Estratégias de reflexão contra o vício

Como já aprendemos, os padrões de pensamento e de comportamento levam ao surgimento de conexões neurais que com frequência nos fazem agir de forma automática e inconsciente. Essa automatização, por si só, é econômica e faz muito sentido. Se não fosse assim, nosso cérebro precisaria constantemente de nossa atenção plena para executar tarefas diárias como escovar os dentes, dirigir ou falar ao telefone. A vida seria muito mais difícil. A desvantagem dessa história toda é que os maus hábitos também criam raízes profundas no cérebro. E quando um hábito se torna praticamente uma necessidade, estamos falando em vício.

A área que abrange o vício é muito ampla e existem inúmeros livros e guias completos para todos os diferentes tipos de vício e sobre como superá-los. É por isso que gostaria de me limitar a algumas estratégias de autoproteção que podem ajudar você a largar o vício.

Os vícios nos controlam tão bem porque mexem com os nossos sentimentos. O uso de certa substância ou de um comportamento adictivo proporciona prazer. Ou então impede sentimentos intensos de desprazer, como sintomas de abstinência. Embora a criança-sol também possa contribuir para os sentimentos intensos de prazer, tendendo ao excesso e à euforia, a maioria dos sentimentos de desprazer está localizada na criança-sombra. A simples ideia de não usar uma determinada droga provoca medo – ao menos de forma subconsciente. Sem a substância, a criança-sombra teme perder aquilo que lhe dá estabilidade. Principalmente vícios por ingestão oral, como beber, fumar e comer, estão profundamente ligados aos desejos da criança-sombra de segurança e acolhimento. Num nível profundo e inconsciente, a ingestão oral está associada à sensação de estar sendo alimentado e à afeição humana. A criança-sombra precisa de afeição e consolo. A substância adictiva alivia as dores por um curto período.

Além dos vícios emocionais, uma dependência também é influenciada por uma predisposição metabólica. Dessa forma, o ciclo da dopamina de algumas pessoas é mais suscetível a vícios que o de outras. Além disso, recentemente foi comprovado que existem pessoas que eliminam a nicotina mais depressa, sendo assim muito mais suscetíveis ao vício em cigarros. O vício está ligado a diversos fatores, não sendo apenas assunto de crianças-sombra tristes. Entre esses fatores, os principais são o hábito e a oportunidade.

Para se livrar de um vício, é preciso ter muita força de vontade. Isso significa que o adulto interior precisa ser forte, pois a vontade é da sua área de competência. Contudo, esse é um assunto que dá muitas voltas pelo fato de que a vontade do viciado na maioria das vezes é ditada pelo vício. A pergunta que não quer calar é: como o adulto interior pode ter influência sobre a própria vontade? Afinal, experimentamos nossa vontade como uma espécie de acontecimento. Por exemplo, acordamos um dia e decidimos: "Agora vou parar!" (com o doce, com o cigarro, com a bebida, terminar o relacionamento, etc.). Mas de onde vem essa vontade repentina? Por que ela não veio antes? E o mais importante: quanto tempo ela vai durar? A última questão foi elucidada por diversos estudos que determinaram que a força de vontade funciona como uma espécie de músculo, que também pode se cansar quando submetido a muito esforço. Isso quer dizer que a força de vontade diminui conforme a utilizamos. Ou seja, quando passamos o dia inteiro dominando impulsos e adiando recompensas, nossa vontade fraqueja à noite. É por isso que à noite quebramos o hábito das boas intenções – e todas as pessoas que já tentaram fazer dieta sabem disso muito bem.

O vício é um tipo de comportamento que é guiado por suas consequências. Quando o custo de continuar excede em muito o custo de parar, nossa força de vontade é impulsionada. E é exatamente aqui que você pode girar a chave para a mudança. O vício funciona por meio de uma repressão significativa. O adulto interior sabe que é um comportamento nocivo, mas não admite isso em seus sentimentos. Ele reprime o medo que o próprio comportamento lhe causa e consegue fazê-lo facilmente porque os efeitos do vício sobre a saúde, no geral, surgem a longo prazo e, por isso, conseguem ser adiados. Ao mesmo tempo, o ganho de prazer é de curto prazo e pode ser sentido diretamente: quando acendo um cigarro ou como uma barra de chocolate, sinto um prazer instantâneo. Por outro lado, quando se trata de imaginar teoricamente os efeitos a longo prazo de meu comportamento, não sinto nada.

Entre tudo que sentimos está também a sensação de estar vivo e, nesse sentido, para cada vício existe uma sensação dessas que todo viciado ama. Quanto mais tempo o vício durar, mais abrangentes se tornam as conexões neuronais desse sentimento vital. No entanto, para um comportamento alternativo, o cérebro quase não apresenta caminhos neuronais, então, se existe uma imensa via expressa de informações disponível para o comportamento adictivo, só existe (se é que existe) uma trilhazinha estreita para o comportamento contrário. É por isso que o viciado não consegue nem ao menos *imaginar* viver sem sua droga.

O que dificulta superar o vício é que é preciso *parar* com certo tipo de comportamento. Não fazer algo é muito mais difícil do que fazer algo. *Não fazer* geralmente exige muito mais de nossa força de vontade, porque é uma tarefa ininterrupta. Se eu quero correr meia hora todos os dias, só preciso de força de vontade suficiente para essa meia hora (e para trocar de roupa antes). Já *não fazer* algo me custa o dia inteiro de força de vontade.

Então, se quero encontrar uma maneira de largar o vício, é necessário agir em diversas frentes: preciso aplacar meus medos mais profundos, ou seja, confortar a criança-sombra; preciso transformar minha postura perante a vida, com ajuda da criança-sombra e da criança-sol; e, consequentemente, preciso fortalecer meu adulto interior. As seguintes medidas ajudam a ampliar a trilha e transformá-la numa via expressa:

1. Mergulhe dentro de si e pergunte à sua criança-sombra por que ela precisa do vício. Como vimos, o vício está muito ligado aos sentimentos de conforto e acolhimento ou ao medo. Medo do fracasso, medo do abandono, medo do declínio e da morte. Investigue quais crenças negativas contribuem para seu vício, indo além daquelas que você já descobriu (como "Não sou bom o suficiente" ou "Não tenho valor"). Explore também as crenças que estão diretamente ligadas ao seu vício, como "Nunca vou conseguir", "Não consigo ficar tranquilo sem fumar", "Preciso de doces". Sinta o que acontece dentro de você. Identifique o sentimento negativo que o impulsiona ao vício. Anote tudo que for descobrindo sobre sua criança-sombra e seu vício.
2. Pegue no colo a criança-sombra e a console. Diga-lhe que você entende seus medos, mas que eles não vão diminuir se vocês comerem, beberem, fumarem ou trabalharem demais. Diga-lhe que você, o adulto interior amoroso, vai estar por perto quando ela precisar e que nunca vai abandoná-la. Encoraje-a dizendo que vocês vão conseguir. Mostre a ela quanto orgulho e alegria ela vai sentir quando conseguir sair dessa. Faça com que imagine como a vida vai ser boa.
3. Admita o medo de tudo que pode acontecer se você continuar desse jeito. Leve essa realidade para diante de seus olhos. Conscientize-se de que o seu comportamento é *realmente* nocivo. Desça ao porão em que os seus piores medos habitam e retire de lá todas as imagens de terror que sejam consequência de seu vício e você costuma reprimir. Pare de reprimir. Deixe que seu medo o alcance. O medo tem a função de alertar. E, nesse caso, o medo é justificado.
4. Também se conscientize de que sempre existe um amanhã e que pensar "Amanhã/semana que vem/ano que vem eu paro" só adia a superação do seu vício até sua morte.
5. Pergunte à sua criança-sol por que ela ama o vício. Como aprendemos, a criança-sol gosta de brincadeiras, diversão, festas e excesso. Ela ama essa sensação de estar viva. Sinta dentro de si como exatamente

você recebe essa sensação positiva e adictiva de estar vivo e em que lugar do corpo ela se manifesta. Também encontre as crenças positivas que estão ligadas a seu vício, como "Sou invencível", "Viver significa aproveitar tudo ao máximo", "Sempre posso parar mais tarde". Anote tudo que você for descobrindo sobre sua criança-sol e seu vício.

Procure um novo sentimento vital que satisfaça tanto sua criança-sol quanto sua criança-sombra. Se você come em excesso e assim transmite à sua criança-sombra conforto e acolhimento, tente imaginar um filme totalmente diferente. Imagine, por exemplo, que está numa ilha caribenha e só se alimenta de frutas, verduras e peixe fresco. Com todos os sentidos, experimente como é bom esse sentimento vital transmitido pelo calor, pelas cores e pela comida leve. Sinta como é ser leve e flexível. Crie em sua mente novas imagens que abarcam seus novos hábitos alimentares. E, sobretudo, *sinta* como é bom. Em sua imaginação, mergulhe nesse novo sentimento vital. Vale lembrar que nosso cérebro não vê tanta diferença entre realidade e imaginação. Se você equipar sua mente com um bom cinema para mergulhar num novo sentimento vital, vai abrir o primeiro espaço para uma nova via expressa de informações. Se quiser parar de fumar, você pode imaginar que está numa linda floresta, que você e ela estão conectados, que você respira o ar puro. Outra bela imagem é imaginar que estava nadando no mar e agora está deitado na areia morna, recuperando o fôlego e recarregando as energias ao sol. Você ficou tão sem fôlego que, dentro da sua cabeça, fumar nem é uma opção. Continue imaginando como é higiênico e esteticamente agradável não precisar mais colocar um cigarro na boca. Sinta dentro de si um cheiro bom que vai cercá-lo se parar de fumar.

Você pode imaginar qualquer lugar interior que transmita paz, no qual relaxe profundamente e ao qual sempre pode voltar quando mais precisar desse sentimento. As imagens aplacam os medos da criança-sombra e apaziguam os desejos da criança-sol.

6. Crie novas crenças que combinem com seu novo sentimento vital. Incorpore-as na imaginação. Perceba como essas frases se fazem sentir dentro de seu corpo. Usando as cores da sua preferência, escreva-as

num papel e o coloque num local visível da sua casa. Repita-as para si mesmo pelo menos quinze vezes ao dia e *sinta-as*.
7. Já que *não* fazer algo é muito mais difícil que fazer, procure algum comportamento de *substituição*. Invente um antissistema. Em termos de vício, o esporte é uma das melhores antidrogas que existem e também pode ajudar a desenvolver um sentimento vital inteiramente novo. É altamente recomendável praticar exercícios regularmente, se é que você já não pratica. Pense em todas as coisas boas que pode fazer para preencher esse vazio aparente criado pela abstinência. Talvez começar um novo hobby, fazer uma transição profissional ou uma especialização. Faça o que lhe faz bem, que faz você ter gosto pela vida e que o preenche de sentido. Estabeleça períodos progressivos sem vício e recompense a si mesmo quando conseguir alcançar cada meta.
8. Todas as vezes que sentir desejo da sua droga, evoque sua nova postura perante a vida e se distraia. Faça o que for preciso para não se deixar levar pelo vício; nesse ponto, distração é tudo. Chega a ser óbvio mencionar isto, mas evite ao máximo as tentações.

Por fim, lembre-se de que ter um dia bem estruturado ajuda a não sentir a pressão do vício. A maior parte das recaídas ocorre em momentos de estresse ou de ócio excessivos. Com uma rotina bem estruturada, consigo evitar tanto uma coisa quanto outra. É sobre isso que vou falar na próxima seção.

Supere a inércia

A inércia é um dos maiores obstáculos para transformar nossa vida e promover mudanças. Como acontece com muitas das nossas características, sua origem é em parte genética: além de nosso sistema ativo, também dispomos de um *programa de economia de energia*, cujo objetivo milenar é fazer com que poupemos nossas forças e não nos cansemos à toa. Ou seja, estados de inércia e de preguiça fazem parte de nós, assim como a atividade e a determinação. Você já ter sentido que quanto mais descansa, mais inerte fica, e que quanto mais coisas faz, mais ativo fica. Ambos os estados têm um efeito de autorreforço. Isso está ligado à lei da inércia, segundo a qual "um corpo em repouso tende a permanecer em repouso e um corpo em movimento retilíneo uniforme tende a permanecer em movimento a menos que uma força atue sobre eles".

Certa vez, na minha época de estudante, experimentei em primeira mão o efeito dessa lei. As férias tão esperadas estavam prestes a começar e minha lista de tarefas tinha centenas de coisas às quais eu queria me dedicar assim que as provas terminassem. Passei as primeiras semanas em plena atividade, até quase concluir minha lista. Então me vi cheia de tempo livre. Tempo até demais. Como não havia uma boa razão para acordar cedo, eu apenas pegava um café e passava horas deitada na cama lendo romances. Meu metabolismo estagnou. Ao meio-dia, eu me sentia tão esgotada pela imobilidade que dormia de novo, mas acordava com os níveis de energia baixíssimos. Me sentindo mal, bebia mais café e tentava criar ânimo para arrumar a casa, e às vezes nem isso conseguia fazer. À noite eu lamentava ter jogado fora um dia inteiro. Isso me deixava insatisfeita, mas era fácil esquecer essa insatisfação indo a festas da faculdade ou a um bar. Quanto menos coisas tinha para fazer, mais preguiçosa eu ficava. No fim das férias, meu rendimento havia caído tanto que lavar uma única cesta de roupas na máquina já era demais para mim, mesmo que não houvesse outras tarefas para resolver no dia. Fiquei muito feliz quando as aulas recomeçaram. A faculdade me deu a estrutura sólida de que eu precisava e me botou de volta nos trilhos. Já estressada, eu lavava três cestas de roupas além de realizar a carga usual de trabalho, sem reclamar.

E isso não é só comigo. A maioria das pessoas precisa de exigências externas e de uma estrutura diária sólida para funcionar. É mais fácil continuar ativo quando não paramos. A segunda-feira não é o pior dia da semana porque exige mais de nós, mas por causa do contraste com o fim de semana. Para enfrentar a segunda-feira, precisamos de uma *força de propulsão* muito maior do que na terça. E é assim com todas as outras atividades, pelo menos quando elas exigem certo grau de esforço e superação. Quanto mais nos dedicamos a elas, mais fácil fica.

Ter as atividades diárias bem estruturadas é a melhor prevenção contra a inércia. Faça planejamentos diários e semanais, incluindo também atividades de lazer. Eu sigo à risca meus planos e é por isso que tenho bastante tempo livre. Antes do café da manhã, pratico um pouco de exercício físico. Depois, escrevo um pouco. No intervalo de meio-dia, relaxo um pouco e pratico piano. À tarde, atendo clientes. Às 18 horas, encerro o dia. É simples, mas eficaz. É esse, por assim dizer, o resultado da minha experiência na época de estudante.

Pense bem sobre o que quer e sobre o que é importante para você e, de acordo com isso, faça planejamentos diários e semanais. Assim como as listas de tarefas, eles são de grande ajuda para organizar as coisas. E também protegem você da sobrecarga, que é tão prejudicial quanto a subcarga. Muitas vezes ficamos estressados e sobrecarregados porque não sabemos administrar o tempo e acabamos tendo muito que fazer no último minuto.

Ter uma estrutura sólida é tão importante porque não precisamos continuar tomando novas decisões todas as vezes. A vontade e a capacidade de decisão estão intrinsecamente ligadas e podem ficar paralisadas se são sobrecarregadas. Isso foi comprovado por diversos experimentos psicológicos. Num deles, o comportamento decisório de motoristas alemães foi examinado assim: pelo computador, eles podiam montar seu carro zero quilômetro e escolher os acessórios. Quanto mais decisões tinham que fazer, mais sobrecarregados ficavam e recorriam ao modelo-padrão, mesmo que custasse em média 1.500 euros a mais. Se você tem um cronograma definido, precisa tomar uma única decisão: seguir o cronograma. É claro que isso não exclui eventuais exceções e imprevistos. E é claro que não sou tão certinha como possa parecer. Mas, pelo fato de que o "plano mestre" existe, sempre encontro o caminho de volta para minha rotina saudável.

Geralmente, a maior dificuldade é começar. Talvez seja preciso dar um forte empurrão. Mas depois disso tudo se torna mais fácil, principalmente se continuo firme e faço o que tenho que fazer com regularidade. *If you don't do it, you lose it* (Se você não faz, você perde). Isso pode ser aplicado até mesmo ao sexo – pelo menos nas parcerias mais antigas, quando a paixão diminuiu.

Falando em paixão: ela seria a alternativa à disciplina, mas eu, pessoalmente, não conheço ninguém que consiga realizar toda a sua obra por pura paixão. Até mesmo artistas costumam ter uma rotina de trabalho. Existem tarefas difíceis em toda atividade e toda aquisição de novas competências, por isso é necessário ter perseverança. Pessoas que não têm perseverança começam muitas coisas e não as terminam. É assim que seu conhecimento e suas capacidades permanecem superficiais. Não se aprofundam em determinada matéria e, com o passar do tempo, ficam insatisfeitas. Dedicar-se a uma atividade e aprofundar-se cada vez mais numa matéria pode nos deixar felizes e realizados em um nível profundo. Isso aumenta nossa autoestima de maneira saudável. Vou voltar a falar sobre isso.

Para superar a inércia, a pergunta a se fazer é: *Como aumentar minha força de propulsão e minha resistência?* Isso vale especialmente para os procrastinadores, que, em geral, não sofrem somente com os efeitos do programa de economia de energia mas também com as fortes dúvidas que a criança-sombra cultiva a seu respeito. A criança-sombra de pessoas procrastinadoras costuma ser atormentada pelo medo de fracasso. Seu medo inconsciente de não estar à altura da tarefa e de simplesmente ser incapaz faz com que a tarefa seja continuamente adiada. Mas, como sempre, o adulto interior pode ter uma opinião diferente. Por exemplo, ele sabe que consegue fazer a declaração do imposto de renda ou arrumar o armário, mas a criança-sombra, com seus medos difusos de fracasso, prevalece. Suas crenças podem ser: "Não consigo", "Sou fraco", "Sou burro". A procrastinação é uma característica especial da estratégia de fuga e evitação. No entanto, se a criança-sombra não for a responsável pela procrastinação, a pessoa afetada está presa na armadilha da inércia. As dicas que vou dar a seguir também ajudam nisso.

Mas, em alguns casos, a criança-sombra de pessoas procrastinadoras é simplesmente teimosa. Ela tem problemas para lidar com as expectativas das pessoas ao seu redor. As pessoas que estão presas no conflito entre a dependência e a autonomia gostam de recusar certas demandas porque as enxergam como uma limitação à sua liberdade pessoal. Não fazem o que se espera delas justamente por isso. A agressão passiva como estratégia de autoproteção também pode estar por trás da procrastinação. Vou voltar a falar sobre isso mais à frente. Por ora, vamos ver algumas dicas para combater a procrastinação.

Exercício: Sete passos contra a procrastinação

1. Pergunte à sua criança-sombra por que começar é tão difícil para ela. São medos relacionados ao fracasso? Ela é rebelde e quer desafiar todas as expectativas? Ou é simplesmente preguiçosa? Identifique as crenças que deixam você paralisado. Por exemplo: "Não vou conseguir." Sinta dentro de si como seria se você continuasse cedendo à sua paralisia e mantivesse essa atitude desafiadora. Perceba como você se sentiria hoje à noite, amanhã, semana que vem ou mês que vem se continuasse procrastinando. É provável que tenha fortes sentimentos de culpa, talvez medo. Deixe que esses sentimentos venham até você.
2. De forma totalmente consciente, separe a criança-sombra de seu adulto interior e trabalhe com ambos da forma como aprendemos. Assim você pode confortar sua criança interior, fortalecer o adulto com argumentos, dissolver projeções, etc.
3. Transforme suas crenças negativas em crenças positivas, conforme você aprendeu em "Descubra suas crenças positivas", na página 135. Se, por exemplo, você tem a crença "Não vou conseguir", transforme-a em "Vou conseguir". Com sua cor preferida, insira a frase no seu desenho da criança-sol ou a escreva num bilhete (se é que você já não o fez).
4. Pense em como vai se sentir. Se você vai adiando uma tarefa que tem um prazo (por exemplo, a declaração do imposto de renda), experimente com os seus sentidos como vai se sentir quando tiver finalizado essa tarefa. E se você sempre deixa para amanhã o começo de uma atividade regular, como a prática de um esporte, experimente com todos os seus sentidos como seria a sensação de que o começo já ficou para trás e que agora está praticando esportes com regularidade. Ou seja, mergulhe de cabeça nesse sentimento – ative sua criança-sol.
5. Defina pequenas metas quando uma tarefa parecer grande demais. Por

exemplo, se quiser começar a correr, pode planejar meia hora de caminhada e meia hora de corrida, de forma alternada. Isso não exige tanto esforço e, assim, o sacrifício inicial vai ser menor. Da mesma maneira, se você quiser arrumar o armário, não vai precisar de uma semana inteira. Se você pensar assim, é provável que nunca comece a colocar seus projetos em prática. Em vez disso, planeje arrumar uma gaveta por dia, depois do expediente. Estabeleça metas realistas que possam ser realizadas sem grandes dificuldades.
6. Anote seus projetos na sua agenda.
7. Planeje recompensas: se você, por exemplo, conseguiu arrumar o lado direito do armário, vai ter direito à realização de um desejo. Ou também vai ganhar uma recompensa. Se você, por exemplo, trabalhou sozinho e seu parceiro foi poupado, peça uma massagem nas costas.

Lembre-se sempre: às vezes a energia do vou-empurrando-com-a-barriga pode custar 24 horas por dia. A energia do vou-acabar-logo-com-isso exige muito menos tempo e esforço.

Desarme sua resistência

Existem inúmeras pessoas cuja criança interior é refém da própria teimosia. Já falei bastante sobre as pessoas cuja criança-sombra tem muita necessidade de agir de forma autônoma e independente, e isso, no geral, como uma resposta ao excesso de controle que ela vivenciou na infância por parte dos pais. A criança-sombra delas ficou presa na fase da teimosia. As expectativas alheias evocam nelas uma resistência automática. Para provar sua autonomia, essas pessoas não fazem o que se espera delas. Porém assim elas boicotam não apenas seus relacionamentos, mas sobretudo a si mesmas. Ao resistir às exigências e às expectativas de seu entorno, acabam tomando muitos desvios e fazendo paradas desnecessárias. Não são poucos os que não crescem profissionalmente porque sua criança-sombra teima em realizar as expectativas dos pais. Muitos também têm medo de compromisso, porque a proximidade de uma parceria estável representa uma ameaça à sua necessidade de autonomia. Em relacionamentos estáveis, sentem como se estivessem aprisionados e temem por sua liberdade pessoal. A criança-sombra dentro deles acha que *deve* se submeter às expectativas do parceiro para ser amada. É por isso que, em contato com outras pessoas, rapidamente surge neles a sensação de que estão perdendo a si mesmos. E é por isso que, em momentos de proximidade, procuram sempre a distância. Só quando estão sozinhos é que realmente sentem que são eles mesmos.

Se você se identifica com essa descrição, esclareça à sua criança-sombra que vocês já cresceram. Você não precisa provar o tempo todo que tem poder recusando-se a agir. Analise sua resistência com base em situações muito específicas nas quais ela tende a ocorrer. Procure as crenças que estão por trás dela, como "Sou responsável por sua felicidade", "Preciso estar ao seu lado", "Tenho que me adequar", "Não posso ser eu mesmo". A criança-sombra dentro de você tenta compensar essas crenças opondo-se a elas por meio de resistência ativa e passiva. Com a ajuda de seu adulto interior, entenda que isso torna você tão dependente como se estivesse atendendo às expectativas. Sempre precisar saber o que a outra pessoa quer para poder decidir o que você *não* quer não faz de você uma pessoa mais confiante.

O seu problema é que você não consegue se proteger das expectativas alheias e, por isso, muitas vezes não sabe o que quer. Como é difícil para você se autoafirmar, você se fecha ainda mais contra as expectativas reais e imaginadas das pessoas ao seu redor. Se quer quebrar esses padrões, é muito importante que sua criança-sombra entenda que, hoje em dia, você é adulto e livre. Sua criança-sombra ainda está presa na realidade do passado, quando mamãe e papai estavam no comando.

Só quando você sentir num nível profundo que é uma pessoa livre hoje é que será capaz de decidir de forma verdadeiramente autônoma o que quer e o que não quer. E só então vai ser capaz de dizer sim de coração, pois sentirá que é *você* quem quer. Não são mais as expectativas alheias que determinam. Portanto, é muito importante que, num primeiro momento, você entre em contato com seus desejos e suas necessidades e que, num segundo momento, aprenda a se autoafirmar de forma adequada para não ficar preso em sua atitude de resistência e teimosia.

Ao entrar em contato com outras pessoas, tente acessar seu interior de quando em quando e, ao mesmo tempo, pergunte-se como está se sentindo e o que gostaria de dizer ou fazer. Na companhia de outras pessoas, sinta de forma totalmente consciente quanto elas ativam seu programa de querer agradá-las, porque é isso que motiva sua resistência. Sua criança-sombra está constantemente preocupada em não ficar numa posição de inferioridade. É por isso que exige tanta liberdade, independência e, em última instância, poder. Se você se pega adotando uma postura de desafio, entre no modo adulto e analise a situação com a mente desimpedida. Deixe claro para si que você e a outra pessoa estão no mesmo nível. Vocês têm os mesmos direitos e são livres. Em seguida, pense se é correto e justo da sua parte boicotar os desejos da pessoa com a qual está interagindo. Muitas vezes você está tão ocupado em proteger seus limites que perde a empatia. Se você se identifica com sua criança-sombra teimosa, então o outro rapidamente se transforma em inimigo. Trate de questionar e corrigir sua percepção sempre que possível. Muitos exercícios neste livro vão ajudar nisso.

Dedique-se a um hobby ou uma atividade

Trabalho e atividade nos deixam felizes, a inércia nos deixa tristes. Tomás de Aquino, de quem vem essa afirmação, já sabia disso. A atividade tem um efeito antidepressivo e pode nos levar ao estado de autoesquecimento que tanto alivia a alma. Estudos abrangentes sobre a felicidade comprovaram isso. O renomado psicólogo Mihaly Csikszentmihalyi cunhou o termo *fluxo*. *Fluxo* descreve um estado interno no qual estou completamente envolvido, imerso na minha atividade. No *fluxo*, esqueço de mim mesmo. Posso alcançar esse estado praticando jardinagem, esquiando, fazendo artesanato ou música – em qualquer atividade na qual me concentre. Dedicar-se a uma atividade promove a vivência das competências e nos dá sentido. Então estaremos no modo criança-sol.

Se você tem poucos interesses e nenhum hobby, é altamente recomendável que expanda essa área da sua vida. Pense no que gostaria de fazer e comece já. Nunca pense que está velho demais para nada. Justamente quando se é um pouco mais velho é que é possível aprender muitas coisas bem, porque as estratégias de aprendizagem são melhores que as da criança. Os adultos, por exemplo, ao contrário do que se acredita, aprendem a tocar um instrumento muito mais rápido que as crianças. Eu mesma só comecei a tocar piano aos 42 anos e progredi bem depressa.

Hobbies e interesses ajudam a direcionar nossa atenção para focos externos. Isso distrai das preocupações que cultivamos a nosso respeito. Além disso, quando conseguimos ser cada vez melhores e/ou adquirimos cada vez mais conhecimento, isso nos enche de alegria e de orgulho. Essa é uma maneira saudável de aumentar a autoestima. Se você se dedicar a uma atividade com concentração e entusiasmo, vai tranquilizar sua criança-sombra e deixar a criança-sol muito feliz.

Hobbies e interesses ajudam você a se realizar. A maneira como você concebe seus interesses fica a seu cargo. Nesse sentido, você não precisa esperar que alguém o faça feliz ou faça alguma coisa para que você se sinta melhor. Lembre-se, no entanto, de que em toda aquisição de novas competências também podem existir trechos difíceis. Se você é uma dessas pessoas que começam muito e terminam pouco, volte à seção "Supere a inércia".

Ao se dedicar a hobbies e interesses, você assume a responsabilidade sobre o cuidado próprio. É claro que isso também vale para aquelas atividades que não são realizadas com tanta frequência, como, por exemplo, convidar amigos para jantar, ir ao cinema ou visitar um parque aquático no verão. Não espere que algo aconteça; transforme sua vida em todos os sentidos.

Essas foram as estratégias de reflexão mais importantes. Talvez você já venha utilizando algumas delas há tempos, enquanto outras talvez possam ser menos familiares. Como já dissemos, em última análise, a questão aqui é moldar nossos relacionamentos. Quanto melhor for a relação com nós mesmos, mais alegres vão ser nossos relacionamentos. Quanto mais eu ficar de olho em minha criança-sombra, menor vai ser minha tendência a projetar meus medos e insuficiências nas outras pessoas e menos vou recorrer às estratégias de autoproteção que pesam mais sobre os relacionamentos do que os aliviam. Quanto mais ficar dentro da minha criança-sol, mais facilmente vou conseguir tratar a mim mesmo e os outros com benevolência.

Como descrevi no começo do livro, no Capítulo 7, na verdade nossa vida gira em torno de apenas algumas questões: vínculos versus autoafirmação; controle versus confiança; prazer e desprazer; e, também, nossa autoestima. Com isso, quero dizer que a autoestima é a base de tudo. É ela que determina quanto consigo equilibrar as necessidades de estabelecer vínculos, de um lado, e a autoafirmação, do outro. A quantidade de controle de que preciso para me sentir seguro ou a minha capacidade de confiar também resultam da autoestima. A autoestima também influencia minhas necessidades de obter prazer e de evitar o desprazer. Uma pessoa com a autoestima intacta consegue controlar melhor seus impulsos de prazer e de desprazer do que alguém com uma autoestima frágil. Ela não precisa se disciplinar de forma compulsiva nem se entregar a excessos.

A criança-sombra e a criança-sol são metáforas para nossa autoestima, com suas respectivas partes fracas e problemáticas e outras que são saudáveis e fortes. Como você já deve ter percebido, a questão é aceitar sua criança-sombra sem, no entanto, deixar que ela assuma a liderança; é fortalecer a criança-sol e dar a ela muito mais espaço em sua vida. É claro que os assuntos que mais nos interessam são diferentes para cada um, e foi por isso que mantive as instruções a respeito da criança-sombra e da criança-sol de modo que cada leitor possa preenchê-las individualmente, com o próprio contexto. A seguir você vai poder anotar as estratégias de reflexão que são mais importantes para você e que gostaria de levar em consideração e desenvolver no dia a dia.

Exercício: Descubra suas estratégias de reflexão

Dentre as estratégias de reflexão que vimos, selecione aquelas que mais ajudariam você. Assim como fizemos com as estratégias de autoproteção, você pode incluir outras que não tenham sido mencionadas ou que sejam específicas suas. Digamos: "Estou aprendendo saxofone", "Permaneço em pé de igualdade com meu marido", "Todos os dias de manhã eu invoco o sentimento da criança-sol", "Decidi procurar outro emprego", "Todos os dias brinco com meus filhos por pelo menos meia hora". Insira suas estratégias de reflexão pessoais no seu desenho da criança-sol.

Agora você tem diante de si sua criança-sol com todo o seu potencial. No entanto, todo esse potencial só poderá ser concretizado se você *brincar* com sua criança-sol regularmente e *viver de acordo com* suas novas crenças, valores e estratégias de reflexão. Isso significa *aplicar* seus novos conhecimentos no dia a dia. Significa *se pegar no flagra* o mais rápido possível (quando estiver entrando no modo criança-sombra). Significa *separar* sua criança-sombra do ego adulto. Significa exercer uma *influência tranquilizadora* sobre sua criança-sombra. Significa continuar *alternando* de forma consciente para o modo criança-sol ou para o modo adulto sempre que possível. Para fazer tudo isso, *lembre a si mesmo* suas novas crenças repetidamente. Além disso, reflita sobre seus valores e *coloque-os em prática* sempre que possível. *Pratique* suas estratégias de reflexão. Acima de tudo, *dedique-se* aos exercícios apresentados neste livro. Assuma a *responsabilidade* pelo seu desenvolvimento pessoal.

Para não esquecer o que você aprender no dia a dia, recomendo que não deixe sua criança-sol dentro da gaveta. Pendure-a em algum lugar de sua casa. Você também pode tirar uma foto dela para tê-la no celular e acessá-la aonde for.

Exercício: Integre a criança-sol e a criança-sombra

Este exercício vai ajudar você a conectar a criança-sombra à criança-sol e a integrá-las à sua personalidade. A psicóloga e pesquisadora americana Deborah Sunbeck desenvolveu o chamado "caminho do oito" ou "caminho do infinito", que promove a cooperação entre as duas metades do cérebro. É um método para desenvolver redes neurais cada vez mais complexas. Este exercício, elaborado com base no caminho do oito original por minha amiga e colega Julia Tomuschat, possibilita uma integração cinestésica de ambos os estados de consciência, o da criança-sol e o da criança-sombra. Realizo este exercício com frequência em meus seminários e ainda hoje me surpreendo com seus efeitos. O objetivo é levá-lo a aceitar e integrar a criança-sombra e a criança-sol em seu interior e tornar claro que você tem o poder de *escolher* entre um estado e outro.

O ideal seria fazer o exercício com dois ajudantes, mas também é possível fazê-lo sozinho.

1. Anote numa ficha ou num papel as principais crenças fundamentais e os principais sentimentos da sua criança-sombra. Se quiser, adicione uma cor que corresponda a esse estado. Cinza, talvez. Você também pode incluir uma palavra que remeta a luz e escuridão. Cores e luz despertam associações profundas, por isso esses acréscimos são úteis.

    Num outro papel, você vai anotar suas principais crenças e sentimentos positivos, a cor correspondente a esse estado e a palavra relacionada à sua imagem interior ("mar", por exemplo), além dos valores da sua criança-sol.
2. Deixe os desenhos da sua criança-sombra e da sua criança-sol no chão, de modo que você possa caminhar traçando um 8 ao redor deles. Ou seja, a criança-sombra estará dentro de um círculo imaginário, e a criança-sol, em outro.
3. Se você tiver dois ajudantes, posicione-os de modo que cada um fique numa extremidade do 8. O Ajudante 1 segura o papel da criança-sombra e o Ajudante 2 segura o da criança-sol.
4. Posicione-se no meio e comece a caminhar ao longo do seu 8 imaginário. Sempre que você for para um lado do 8, o ajudante que estiver ali lê em voz alta o que está escrito no papel. Assim que você chegar no meio e começar a ir para o outro lado, o outro ajudante começa a ler o outro papel. Quando você alcançar de novo o ponto do meio, o primeiro ajudante lê o papel de novo e assim por diante. Se não tiver ajudantes, você mesmo vai ler. Ou você pode fazer uma gravação de áudio lendo o conteúdo dos dois papéis umas dez vezes e numa velocidade que coincida com o ritmo do seu andar.
5. Percorra o 8 dez vezes enquanto você ou seus ajudantes se revezam na

leitura. No fim, você para exatamente no meio do 8. Sinta dentro de si o que mudou: por qual estado você se sentiu mais atraído? Se, depois da caminhada, você se sentir ainda mais atraído por sua criança-sombra, repita o exercício até se sentir bem e em harmonia.

Você pode adaptar esse exercício para todo tipo de questão que enfrentar na vida, especialmente quando duas necessidades ou duas situações diferentes estiverem discutindo dentro de você, ou seja, em casos de conflitos que tenham a ver com uma tomada de decisão. Todas as vezes você vai anotar os prós num cartão e os contras em outro.

Estamos chegando ao final do livro. Falaremos em seguida sobre uma estratégia de reflexão tão básica mas tão abrangente que bem poderia representar a meta fundamental deste livro. Foi por isso que a deixei para o final.

Permita-se ser você mesmo

Como venho tentando enfatizar, todas as nossas estratégias de autoproteção visam nos proteger de ataques e obter o máximo de reconhecimento possível. Mais uma vez, gostaria de lembrar que não se trata somente de influências da infância, mas também de toda uma programação genética, afinal, dependemos de nosso pertencimento na sociedade, por isso nossos genes nos pressionam, por meio do sentimento de vergonha, para que nos comportemos de maneira que tenhamos mas chances de sobrevivência social. Sentimentos de vergonha têm o sentido milenar de fazer com que nos adaptemos à sociedade. Uma humilhação pode ser traumatizante. A vergonha é um sentimento muito poderoso e angustiante. No entanto, o leque de coisas que nos causam vergonha varia muito de pessoa para pessoa. Pessoas cujas crianças-sombra têm muitas crenças negativas e autodepreciativas se envergonham muito mais depressa do que pessoas cujas crenças são predominantemente positivas. Muitos têm vergonha da própria insegurança, mas ser inseguro não é ruim. Dependendo da situação e do momento, todos nós o somos, às vezes mais, às vezes menos. Tudo bem. Isso é humano.

Contudo, não é nada bom tentar compensar meus sentimentos de inferioridade escondendo minha opinião e meus desejos, agindo de forma agressiva, esquivando-me de relações, fazendo julgamentos apressados...

Se quisermos aprender a ser mais leais a nós mesmos – porque essa é a condição, tanto para nossa liberdade pessoal quanto para relacionamentos bem-sucedidos –, precisamos aceitar que somos vulneráveis. Precisamos aceitar que erramos, que temos fraquezas e que não somos indestrutíveis. Se acharmos que só podemos participar da vida se formos perfeitos ou à prova de bala, vamos deixar passar muitas oportunidades e muitos relacionamentos.

Não importa se você é lindo, perfeito e poderoso. O que importa é que você se encontre. Quanto mais sua criança-sombra e sua criança-sol encontrarem um abrigo e um lar amoroso dentro de si, mais sereno você vai ficar consigo e mais vai conseguir se abrir para outras pessoas, sendo compreensivo e benevolente. Seu lar é onde você pode ser *você mesmo*. Lar significa familiaridade, acolhimento e segurança. Lar significa pertencimento. Se construo um lar em mim mesma, então eu pertenço – estou ligada a mim e a outras pessoas. A vida é isso.

O "grande filósofo" Popeye dizia: "Eu sou o que sou, e isso é o que eu sou!" Esse pode ser seu mantra diário. A propósito, autoaceitação não impede o aprimoramento. Pelo contrário: só quando confesso minhas insuficiências é que posso trabalhá-las. Porém o foco da otimização não deve estar em otimizar suas estratégias de autoproteção, mas em agir de modo que você e outras pessoas se sintam bem. Simplesmente fique orgulhoso e satisfeito consigo sempre que você:

- conseguir compreender sua criança-sombra
- interceder por si, apesar do medo
- interceder por outra pessoa, apesar do medo
- distinguir fatos de interpretações
- dissolver suas projeções
- permanecer fiel a seus argumentos quando os outros não apresentarem um argumento melhor
- reconhecer quando uma pessoa tem razão

- resolver um conflito de forma sincera e justa
- permanecer leal às suas convicções e aos seus valores
- assumir a responsabilidade por seus sentimentos e seu comportamento
- for benevolente com uma pessoa difícil
- conseguir dissolver sentimentos de inveja e ciúme
- escutar alguém
- aceitar um desafio que teria evitado no passado
- aproveitar a vida
- for sincero e honesto
- viver segundo seus valores
- fizer seus exercícios todos os dias
- tentar com afinco
- viver como sua criança-sol.

*Você é o que é,
e isso é o que você é,
e isso é bom!*

REFERÊNCIAS BIBLIOGRÁFICAS

Branden, N. *Autoestima e os seus seis pilares*. São Paulo: Saraiva, 2002.

Corssen, J. & Tramitz, C. *Ich und die anderen: Als Selbst-Entwickler zu gelingenden Beziehungen* (Eu e os outros: Autodesenvolvimento para relacionamentos bem-sucedidos). Munique: Knaur, 2014.

Dahm, U. *Mit der Kindheit Frieden schließen. Wie alte Wunden heilen* (Faça as pazes com sua infância: Como curar feridas antigas). Darmstadt: Schirner, 2011.

Dwoskin, H. *The Sedona Method: Your Key to Lasting Happiness, Success, Peace and Emotional Well-Being* (O Método Sedona: O segredo para felicidade, sucesso, paz e bem-estar duradouros). Sedona: Sedona Press, 2015.

Frankl, V. E. *Das Leiden am sinnlosen Leben: Psychotherapie für heute* (O sofrimento da vida sem sentido: Psicoterapia para os dias de hoje). Freiburg: Kreuz, 2015.

Gendlin, E. T. *Focalização: Uma via de acesso à sabedoria corporal*. São Paulo: Gaia, 2006.

Heyman, G. M. *Addiction: A Disorder of Choice* (Vício: Um transtorno por escolha). Cambridge, MA: Harvard University Press, 2010.

Grawe, K. *Neuropsychotherapie* (Neuropsicoterapia). Göttingen: Hogrefe, 2004.

Jacob, G. & Arntz, A. *Schematherapie: Fortschritte der Psychotherapie* (Terapia do esquema: Avanços na psicoterapia). Göttingen: Hogrefe, 2014.

Klein, S. *A fórmula da felicidade: Como as recentes descobertas das neurociências podem ajudar você a produzir emoções positivas, harmonia e bem-estar*. Rio de Janeiro: Sextante, 2005.

Klein, S. *Der Sinn des Gebens. Warum Selbstlosigkeit in der Evolution siegt und wir mit Egoismus nicht weiterkommen* (A importância de se doar: Por que o altruísmo triunfa na evolução e por que não avançamos com o egoísmo). Frankfurt am Main: Fischer, 2010.

Nölke, M. *Schlagfertigkeit* (Raciocínio rápido). Munique: Haufe, 2009.

Reddemann, L. *Imagination als heilsame Kraft. Zur Behandlung von Traumafolgen mit ressourcenorientierten Verfahren* (A imaginação como forma de cura: Tratamento do trauma com métodos orientados a recursos). Stuttgart: Klett-Cotta, 2002.

Röhr, H.-P. *Die Kunst, sich wertzuschätzen. Angst und Depression überwinden. Selbstsicherheit gewinnen* (A arte de se valorizar). Ostfildern: Patmos, 2013.

Schnarch, D. *Intimität und Verlangen. Sexuelle Leidenschaft in dauerhaften Beziehungen* (Intimidade e desejo: A paixão em relacionamentos duradouros). Stuttgart: Klett-Cotta, 2011.

Stahl, S. *Leben kann auch einfach sein! So stärken Sie Ihr Selbstwertgefühl* (Viver pode ser simples! – Como fortalecer a autoestima). Hamburgo: Ellert & Richter, 2011.

Stahl, S. *Jein! Bindungsängste erkennen und bewältigen. Hilfe für Betroffene und deren Partner* (Sim, não, talvez – Reconheça e supere o medo de compromisso). Hamburgo: Ellert & Richter, 2014.

Stahl, S. *Vom Jein zum Ja! Bindungsangst verstehen und lösen. Hilfe für Betroffene und ihre Partner* (Do "Talvez" ao "Sim"). Hamburgo: Ellert & Richter, 2014.

Stahl, S. & Alt, M. *Eu sou assim mesmo! – Manual de instruções pessoal*. Petrópolis, RJ: Vozes Nobilis, 2015.

Süfke, B. Männerseelen. *Ein psychologischer Ratgeber* (Um guia psicológico). Munique: Goldmann, 2010.

Sunbeck, D. & Lippmann, E. *Was die 8 möglich macht: Laufend neue Aufgaben lösen* (O que o 8 torna possível). Kirchzarten: VAK, 2005.

Unger, H.-P. & Kleinschmidt, C. *"Das hält keiner bis zur Rente durch!"* ("Ninguém consegue se manter assim até a aposentadoria!"). Munique: Kösel, 2014.

Criança-sombra

Criança-sol

CONHEÇA OUTROS LIVROS DA AUTORA

Acolhendo sua criança interior –
Caderno de atividades
Exercícios e reflexões para compreender seus
sentimentos e se fortalecer

Neste caderno de atividades, Stefanie Stahl oferece um programa prático para que você:

- Passo 1: Conheça sua criança-sombra, a parte de sua personalidade que representa as experiências negativas da infância.
- Passo 2: Fortaleça seu ego adulto, a parte racional que é indispensável para resolver seus problemas.
- Passo 3: Descubra sua criança-sol, a parte saudável, forte e feliz de sua personalidade.

Como fortalecer sua autoestima
Aprenda a lidar com a insegurança,
o medo e a vergonha e a se amar plenamente

Stefanie Stahl está convencida de que a baixa autoestima não é um destino inevitável.

A partir de exemplos claros, ela mostra como fortalecer a autoestima: se aceitando, comunicando suas necessidades com clareza, tendo um propósito maior, regulando suas emoções – e aprendendo a aproveitar a vida.

CONHEÇA ALGUNS DESTAQUES DE NOSSO CATÁLOGO

- Augusto Cury: Você é insubstituível (2,8 milhões de livros vendidos), Nunca desista de seus sonhos (2,7 milhões de livros vendidos) e O médico da emoção
- Dale Carnegie: Como fazer amigos e influenciar pessoas (16 milhões de livros vendidos) e Como evitar preocupações e começar a viver
- Brené Brown: A coragem de ser imperfeito – Como aceitar a própria vulnerabilidade e vencer a vergonha (600 mil livros vendidos)
- T. Harv Eker: Os segredos da mente milionária (2 milhões de livros vendidos)
- Gustavo Cerbasi: Casais inteligentes enriquecem juntos (1,2 milhão de livros vendidos) e Como organizar sua vida financeira
- Greg McKeown: Essencialismo – A disciplinada busca por menos (400 mil livros vendidos) e Sem esforço – Torne mais fácil o que é mais importante
- Haemin Sunim: As coisas que você só vê quando desacelera (450 mil livros vendidos) e Amor pelas coisas imperfeitas
- Ana Claudia Quintana Arantes: A morte é um dia que vale a pena viver (400 mil livros vendidos) e Pra vida toda valer a pena viver
- Ichiro Kishimi e Fumitake Koga: A coragem de não agradar – Como se libertar da opinião dos outros (200 mil livros vendidos)
- Simon Sinek: Comece pelo porquê (200 mil livros vendidos) e O jogo infinito
- Robert B. Cialdini: As armas da persuasão (350 mil livros vendidos)
- Eckhart Tolle: O poder do agora (1,2 milhão de livros vendidos)
- Edith Eva Eger: A bailarina de Auschwitz (600 mil livros vendidos)
- Cristina Núñez Pereira e Rafael R. Valcárcel: Emocionário – Um guia lúdico para lidar com as emoções (800 mil livros vendidos)
- Nizan Guanaes e Arthur Guerra: Você aguenta ser feliz? – Como cuidar da saúde mental e física para ter qualidade de vida
- Suhas Kshirsagar: Mude seus horários, mude sua vida – Como usar o relógio biológico para perder peso, reduzir o estresse e ter mais saúde e energia

sextante.com.br